Les Éditions du Boréal
4447, rue Saint-Denis
Montréal (Québec) H2J 2L2
www.editionsboreal.qc.ca

Ici était
Radio-Canada

Alain Saulnier

Ici était
Radio-Canada

Boréal

© Les Éditions du Boréal 2014
Dépôt légal : 4ᵉ trimestre 2014
Bibliothèque et Archives nationales du Québec

Diffusion au Canada : Dimedia
Diffusion et distribution en Europe : Volumen

*Catalogage avant publication de Bibliothèque et Archives nationales du Québec
et Bibliothèque et Archives Canada*

Saulnier, Alain

    Ici était Radio-Canada

    Comprend des références bibliographiques.

    ISBN 978-2-7646-2362-6

    1. Société Radio-Canada – Histoire. 2. Télévision publique – Politique gouvernementale – Canada. 3. Radio publique – Politique gouvernementale – Canada. 4. Radiodiffusion publique – Canada – Histoire. I. Titre.

HE8689.9.C32S29   2014   384.5406'571   C2014-942007-2

ISBN PAPIER 978-2-7646-2362-6

ISBN PDF 978-2-7646-3362-5

ISBN ePUB 978-2-7646-4362-4

À ma mère, Yvannette, décédée au cours
de la rédaction de ce livre,
à la femme de ma vie, Dominique,
et à notre fille, Léa

Introduction

Je ne connais pas un premier ministre canadien qui,
un jour ou l'autre, n'ait tenté de museler les journa-
listes de Radio-Canada.

SOLANGE CHAPUT-ROLLAND

Le mercredi 22 février 2012, je quitte le Centre de l'information de Radio-Canada pour me diriger vers le bureau
du nouveau vice-président, Louis Lalande, au douzième
étage de l'édifice. J'avais demandé à le rencontrer pour un
dossier concernant le Réseau de l'information (RDI).

À mon arrivée, il m'invite à le suivre dans sa salle de réunion et je lui emboîte le pas sans me méfier. Sur place : la vice-
présidente aux ressources humaines. Je comprends alors
très vite ce qui se passe. C'est ce jour-là que je serai congédié, après quinze ans comme patron de l'information,
dont six à titre de directeur général au sein des Services
français.

Le lendemain, à mon arrivée au Centre, des employés
nombreux manifestent ouvertement leur mécontentement
par des applaudissements nourris qui sont entendus en direct

sur les ondes de RDI, dont les micros sont ouverts. La direction n'appréciera pas.

Pourquoi m'a-t-on congédié alors que les choses allaient plutôt bien au Service de l'information ? S'agissait-il d'une « commande politique » ? Je me suis posé cette question comme bien d'autres. Et j'ai voulu en savoir plus.

J'ai donc entrepris une recherche pour connaître les raisons de mon congédiement. Elle m'a conduit à jeter un regard plus large sur toute la relation entre le diffuseur public et le gouvernement canadien, depuis toujours une relation complexe et parfois tendue, ai-je découvert. Il m'a semblé que cette histoire méritait d'être racontée.

En même temps, comme tout le monde, j'assiste chaque jour à une entreprise d'asphyxie et de démantèlement planifiée de Radio-Canada qui me révolte.

De nombreuses personnes, conscientes qu'il y a péril en la demeure, m'ont demandé de prendre la parole. J'ai écrit ce livre avant tout avec l'espoir de contribuer au sauvetage de Radio-Canada.

Ma relation professionnelle avec Radio-Canada a débuté en 1984, lorsque j'y ai été embauché comme journaliste « surnuméraire ». C'est ainsi que l'on désignait ceux et celles qui remplaçaient sur appel les journalistes permanents de la salle des nouvelles. Je me rappelle le moment, parce qu'il suivait de peu mon anniversaire, en janvier. Quel beau cadeau d'anniversaire j'ai eu cette année-là ! Je me souviens comme si c'était hier du sourire béat que j'affichais en franchissant pour la première fois l'entrée principale de la Maison de Radio-Canada à Montréal. Je travaillais comme journaliste à Radio-Canada, la plus grande institution journalistique du pays ! Mon embauche était quasi inespérée, puisque avant d'entrer dans ce métier, et de surcroît au service public, j'avais fait un long détour.

Ayant en effet tardé à choisir le journalisme, j'avais d'abord investi l'énergie de ma jeunesse dans un groupe d'extrême gauche, la Ligue communiste marxiste-léniniste. Ici, il n'est pas inutile de rappeler que durant les années 1970 les groupes de gauche ont entre autres permis à une partie de ma génération de faire ses classes dans la vie, dans la société. Pour la génération précédente, celle des Gérard Pelletier, Jean Marchand, Jeanne Sauvé, les groupes d'appartenance s'appelaient Jeunesse ouvrière catholique ou Jeunesse étudiante catholique. Dans le Québec de ma génération, tout comme dans plusieurs pays européens, des organisations d'extrême gauche ont initié beaucoup de jeunes à l'engagement social.

On ne fera pas ici le bilan du marxisme, avec lequel j'ai divorcé il y a longtemps, et de ce long détour pour arriver au journalisme. Quoi qu'il en soit, un jour, j'ai compris qu'il était temps de choisir entre militantisme et journalisme. Le choix allait de soi, car d'aussi loin que je me rappelle, mon plus grand désir a toujours été de devenir journaliste !

Ma chance inouïe fut de pouvoir pratiquer le métier que j'avais choisi au sein du média le plus important pour les francophones d'ici, Radio-Canada.

J'y ai travaillé durant près de trente ans. D'abord aux nouvelles télé régionales à Montréal, comme journaliste à la rédaction et au reportage. Par la suite, je suis passé de la salle des nouvelles télé à la section des émissions d'affaires publiques, notamment à l'émission *Le Point*. J'y ai été journaliste à la recherche, puis réalisateur au reportage et réalisateur coordonnateur, responsable des entrevues en studio.

À l'automne 1992, lors d'un changement à cette émission, j'ai quitté Radio-Canada pour une parenthèse d'un peu plus de deux ans à Radio-Québec. Au cours de l'été 1995, je suis revenu à Radio-Canada, avec le sentiment de rentrer à la maison. J'éprouvais encore la même fierté d'appartenir à une grande institution. Puis, après avoir été réalisateur télé, j'ai quitté le camp des syndiqués en 1997 pour devenir patron du Service des nouvelles radio. Deux ans plus tard, je devenais directeur de l'information, toujours à la radio. Enfin, en juin 2006, le vice-président aux Services français, Sylvain Lafrance, m'a proposé de prendre la direction générale de l'information pour la radio et la télévision, jusqu'à mon départ « non souhaité » en 2012.

Radio-Canada, une histoire de famille

Aussi loin que je remonte dans le temps, toute ma vie et celle de ma famille sont liées à Radio-Canada.

En 1952, quelques jours avant le 25 décembre, mon père et l'aîné de la famille marchaient sur l'avenue du Mont-Royal, à Montréal, afin d'y compléter les achats de Noël. Cette année-là, tous ceux et celles qui déambulaient dans cette rue commerçante faisaient un arrêt obligatoire devant une vitrine en particulier. Mon père a dû dégager un espace parmi les personnes attroupées devant cette vitrine pour que son fils de sept ans puisse, lui aussi, admirer l'objet de convoitise. Bien en vue trônait la grande nouveauté de l'année, la *télévision*. Pour la première fois, souvent même en direct, on pouvait dorénavant y voir des comédiens et des artistes bouger, danser et chanter. La boîte à images, comme certains l'appelaient, voyait le jour ! Une fantastique ouverture sur le monde réel et imaginaire. Il faut dire que depuis quelques mois on ne parlait que de ça. Mes deux frères aînés avaient même eu le privilège, comme d'autres enfants de l'avenue des Cèdres à la Cité-Jardin, d'aller regarder l'émission *Pépinot et Capucine*[1] chez un voisin, monsieur Jean. C'est ce voisin qui a été le premier à se procurer la nouvelle merveille dans notre rue. « PanPan, il est toujours le vainqueur », répondaient en chœur les enfants devant l'écran.

---

1.   *Pépinot et Capucine* : la première émission de télévision pour enfants diffusée à Radio-Canada, à compter de 1952. Les personnages étaient des marionnettes.

Aussi, lorsque, quelques jours avant ce fameux Noël 1952, mon père est allé acheter le premier téléviseur familial, il savait qu'il faisait là un geste historique. La télévision ferait désormais partie de la famille Saulnier, et ce, dès Noël ! Enfin, Pépinot, Capucine, l'Ours, Monsieur Blanc et Monsieur Potiron[2] entraient dans l'univers familial, comme rapidement dans celui de tous les enfants du Québec.

Dès le premier samedi soir suivant l'achat de l'appareil de télévision, la famille s'est installée confortablement au salon à 21 h pour regarder le match de hockey des Canadiens de Montréal contre les Red Wings de Detroit. À l'époque, la présentation du hockey à la télévision débutait à 21 h, alors que le match commençait une heure plus tôt au Forum. Dès le début de l'émission, place à l'action et à l'excitation, et encore davantage si Maurice Richard marquait un but.

Le 1er janvier 1953, ma mère, enceinte de son quatrième enfant, a regardé la première grande revue de l'année à la télévision, *Variétés 52*, ancêtre des *Bye Bye*. Bien installée dans le salon, elle pouvait enfin mettre un visage sur les vedettes qu'elle avait connues par la radio, les Juliette Béliveau, Paul Berval, Roger Garceau et Juliette Huot. Elle m'a confié avoir bien ri tout au long de l'émission, ce qui avait par moments provoqué des mouvements intempestifs de son bébé à naître.

Quelques semaines plus tard, les cris d'un nouveau-né sont venus perturber l'écoute de la télévision. J'entrais à mon tour dans la famille. Je suis ce qu'on peut appeler un « enfant de la télé ».

Jusqu'en janvier 1954, la télévision de Radio-Canada proposait une programmation bilingue, chose totalement impensable de nos jours. En effet, l'animateur Henri Bergeron, d'origine franco-manitobaine et parfaitement bilingue,

---

2. Tous des personnages connus des premières émissions pour enfants de la télévision de Radio-Canada.

lisait les informations en anglais à certaines heures, et en français à d'autres. Certaines plages horaires étaient réservées à une programmation destinée à chacun des groupes linguistiques, francophone et anglophone. Évidemment, cette proposition attisait les frustrations de tout le monde !

Dès son arrivée, la télévision est venue bousculer les habitudes d'écoute du premier média de masse qu'était jusque-là la radio. Celle-ci a pourtant bien été obligée de s'accommoder de cette intruse envahissante dont on craignait qu'une fois installée confortablement dans les salons familiaux elle mette fin à l'existence de la radio. Lors de la soirée d'inauguration, la journaliste et animatrice Judith Jasmin célébrait bien sûr l'arrivée de la télévision, mais s'inquiétait du même coup de l'impact de cette invention sur l'avenir de la radio. Heureusement, personne n'a eu l'idée de jeter les radios par-dessus bord, car la capacité d'adaptation de ce média aux changements technologiques est devenue presque légendaire.

C'est d'ailleurs la radio qui a jeté les bases du service public au pays en 1936. En temps de paix comme en temps de guerre, la radio de Radio-Canada a représenté un joyau inestimable pour les francophones d'un océan à l'autre. Elle a largement contribué à faire de nous ce que nous sommes.

Son histoire ne s'est toutefois pas déroulée sans heurts. Radio-Canada a toujours été au centre de conflits et de crises. En effet, qui dit service public financé par le gouvernement fédéral sait bien qu'en retour le pouvoir politique sera tenté d'agir en propriétaire et qu'il sera constamment aux aguets pour imposer ses vues. Assurément, la tentation a été forte.

Pourtant, la Loi sur la radiodiffusion prévoit l'indépendance de Radio-Canada[3].

---

3.   Extrait de l'article 35 de la Loi sur la radiodiffusion (L.C. 1991, ch. 11) : « Déclaration de principe : (2) Toute interprétation ou application de la présente partie doit contribuer à promouvoir et à valoriser

Théoriquement, Radio-Canada est un service public et non un service d'État. Cette nuance importante signifie qu'elle doit d'abord servir le public et non l'État. Les Britanniques qui ont créé le modèle de la BBC ont défini la distance à maintenir entre le gouvernement et le service public de radio-télédiffusion en lui donnant le nom de *arm's length relationship* – littéralement : *à la distance d'un bras tendu,* expression anglaise que nous traduirons par *saine distance* tout au long de ce livre.

En quête de l'autonomie et de l'indépendance que lui promet la loi à l'égard du pouvoir politique, Radio-Canada vit depuis ses débuts une relation ambiguë et parfois conflictuelle avec ce pouvoir.

Il faut dire que le gouvernement fédéral a toujours tenu le gros bout du bâton, puisque c'est lui qui vote le budget de fonctionnement de Radio-Canada en vertu de la même loi.

Il ne faut pas être naïf et croire que ce genre de tensions n'existe qu'ici. Au contraire, l'ambiguïté est courante dans tous les pays occidentaux où il existe des services publics de télédiffusion. Ici, cependant, la grande division de l'opinion publique sur la question nationale a certainement ajouté à la difficulté des relations entre le diffuseur public et le gouvernement.

Bien sûr, Radio-Canada n'a pas connu que des tensions avec le pouvoir politique fédéral. Il y a eu d'autres types de tiraillements dont il faut parler, par exemple avec les entreprises de radio et de télévision privées qui, dès le départ, ont vu d'un mauvais œil la création d'un service public, puis la cohabitation avec lui.

---

la liberté d'expression, ainsi que l'indépendance en matière de journalisme, de création et de programmation, dont jouit la Société [Radio-Canada] dans la réalisation de sa mission et l'exercice de ses pouvoirs. »

Des tensions sont aussi apparues au sein même de la population desservie, entre les francophones du Québec et ceux du reste du Canada, reflétant les collisions identitaires du pays. Ces collisions ont d'ailleurs été fort bien instrumentalisées par les partis politiques à certains moments.

Et évidemment, le réseau anglais Canadian Broadcasting Corporation (CBC) a aussi vécu sa part de difficultés dans ses rapports avec les pouvoirs politiques.

Dans cet ouvrage, j'évoquerai au passage quelques épisodes importants de ces sagas, mais je laisserai à d'autres le soin de les raconter en détail. Pour ma part, je me concentrerai surtout sur cette relation particulière entre le réseau français de Radio-Canada et le pouvoir politique fédéral, notamment à partir de mon expérience personnelle au service de la Société. Je ne prétends donc pas couvrir de façon exhaustive toute l'histoire de Radio-Canada. Je porterai plutôt une attention particulière à quelques périodes, dont celles des libéraux de Pierre Elliott Trudeau et des conservateurs de Stephen Harper, encore actuelle.

Je tiens à spécifier que ce livre ne constitue pas une attaque contre quelque gouvernement que ce soit. Je ne fais pas de politique partisane. J'y fais plutôt un plaidoyer pour le maintien d'une saine distance entre le diffuseur public et le gouvernement. Le rôle de Radio-Canada est précisément de faire connaître en toute liberté la diversité d'opinions au sein de la société. C'est ce qui fait sa force et son caractère unique dans le monde médiatique.

Enfin, dernière mise au point importante avant d'entrer dans le vif du sujet : la grande majorité des journalistes et des patrons qui ont travaillé au Service de l'information de Radio-Canada ont toujours cru que leur mission était d'informer le public correctement, selon les règles de l'art de leurs époques respectives. Chacun à sa façon, ils ont farouchement défendu leur indépendance. Ils méritent notre reconnaissance.

Malgré tout ce que je m'apprête à raconter ici, je demeure

un inconditionnel du service public, convaincu que la confiance que la population a toujours eue dans cette institution était largement justifiée.

Je veux partager cet ouvrage avec toutes ces personnes que j'ai aimées, qui m'ont soutenu, sans doute parce que nous avons éprouvé la même passion pour une information de qualité, le même engagement pour Radio-Canada. Et, bien entendu, je veux aussi l'offrir aux quelques personnes qui m'ont un peu moins aimé. Ça les distraira…

CHAPITRE PREMIER

Le point de départ

Le premier véritable service public de radio avec une programmation digne de ce nom dans la région de Montréal n'était pas la radio de Radio-Canada, mais bien celle de CKAC, alors propriété du quotidien *La Presse*. CKAC est devenu en 1922 la première radio à grand rayonnement pour les francophones. Elle compte aussi parmi les premières radios au pays à avoir offert des concerts de musique classique, des opéras et des opérettes. La station avait même son propre orchestre symphonique, c'est tout dire ! Dans sa programmation de 1929 à 1939, CKAC diffusait *L'Heure provinciale,* un magazine culturel et socioéconomique fort audacieux pour l'époque, dont le mandat avait été confié à Édouard Montpetit, le secrétaire général de l'Université de Montréal. Cette émission financée par le gouvernement du Québec proposait à l'auditoire de CKAC des centaines de conférences sur l'économie. Elle a obtenu un immense succès.

Plus tard, CKAC a développé une émission de littérature radiophonique avec l'auteur Robert Choquette. On y a également ment diffusé du théâtre classique. Une telle programmation était à l'image de son premier patron, Jacques-Narcisse Cartier[1]. Mais cette programmation exemplaire de CKAC est

---

1. Jacques-Narcisse Cartier a aussi exercé une influence lorsqu'il a été question de développer un réseau radiophonique pancanadien. Il a notamment présenté un mémoire à la Chambre des communes intitulé *Le Rôle véritable de la radio dans la vie d'un peuple.*

aussi le résultat de l'étroite collaboration entre Cartier et le responsable de la programmation d'alors, Joseph-Arthur Dupont[2]. C'est Dupont qui a enrichi la programmation en négociant une entente avec le réseau CBS permettant d'offrir des concerts symphoniques en provenance des nombreuses villes qui disposaient d'un orchestre. En 1932, quatre ans avant la création de Radio-Canada, le ministre de la Marine et responsable des communications, Alfred Duranleau, a demandé à J.-A. Dupont de quitter CKAC afin de se joindre à la Commission canadienne de la radiodiffusion. Cette dernière est en quelque sorte l'ancêtre de Radio-Canada. Ses mandats incluaient à l'époque les fonctions du futur CRTC (Conseil de la radiodiffusion et des télécommunications canadiennes). Cette Commission diffusait des émissions radio. C'est elle qui a donné naissance à Radio-Canada et à CBC en 1936. Dès les débuts du service public, Dupont est devenu le premier directeur des programmes de langue française pour Radio-Canada[3], qui est donc ainsi un peu l'héritière de CKAC.

Le professeur Pierre Pagé, de l'Université du Québec à Montréal, a bien résumé le rôle de CKAC en disant qu'elle était « une radio privée dans l'esprit d'un service public [...]. Dès ses débuts, la radio apparaît comme un média centré sur la qualité sonore, étroitement relié à l'art musical. Et c'est en direct que, tous les deux jours, les meilleurs artistes de Montréal viennent interpréter de la musique classique[4] ».

---

2. Plus tard, Joseph-Arthur Dupont a fondé la station CJAD, qu'il a baptisée à partir de ses initiales.

3. Pierre Pagé, « La radiodiffusion 1922-1997 », *Fréquence/Frequency*, n°s 7-8, 1997, p. 54.

4. Pierre Pagé, « La première décennie de CKAC (1922-1933). Une radio privée dans l'esprit d'un service public, créée par Jacques-

Ma mère m'a raconté que, chez elle, dans la famille Poirier, on avait rapidement adopté CKAC. Ce n'est pas étonnant quand on sait que le chant et la musique classique étaient presque sacrés dans sa famille. Pour elle, il n'y avait rien de plus réjouissant que d'assister aux concerts gratuits de musique classique offerts aux parcs La Fontaine et Molson à Montréal. C'était la plus belle sortie familiale qui soit. Alors, de pouvoir écouter des concerts et des airs d'opéra à la radio, quelle aubaine !

Quelques années plus tard, lors du lancement de la radio de Radio-Canada, ma mère est devenue une fidèle radio-canadienne, encore une fois par amour de la musique, surtout lorsque Radio-Canada a commencé à présenter l'*Opéra du Metropolitan* en provenance de New York.

New York. C'est précisément pour contrer la puissante domination culturelle des États-Unis que la radio de Radio-Canada et celle de CBC ont été créées en 1936. C'était une façon pour le Canada de se démarquer de son puissant voisin du Sud. Du même coup, le diffuseur public offrait au gouvernement canadien la possibilité de s'adresser en tout temps aux citoyens d'un océan à l'autre.

Le Canada affirmait ainsi sa propre identité et sa territorialité.

Un des artisans déterminants de ce projet de radio publique est Graham Spry, cofondateur de la Canadian Radio League. Ses écrits et son action ont permis de sensibiliser la population à cette idée avant-gardiste. Grâce aux pressions exercées par cette organisation sur les élus tant conservateurs que libéraux de l'époque, le gouvernement dirigé par Mackenzie King s'est laissé convaincre de doter le pays

---

Narcisse Cartier », *Phonothèque québécoise, Musée du son,* [www. phonotheque.org/radio/ckac.html].

d'un système de radiodiffusion publique qui allait contribuer à construire le Canada de l'avenir. En ce sens, Graham Spry est un des visionnaires du XXe siècle. Du côté francophone, c'est le rôle joué par Joseph-Arthur Dupont qui a été déterminant, car il est le père de nos premières programmations de radio en français.

Toutefois, ce démarrage ne s'est pas fait sans heurts. C'est ainsi qu'au début certaines radios privées n'ont pas vu d'un bon œil l'arrivée de Radio-Canada et de CBC dans leur marché. Ces tensions entre Radio-Canada et les radiodiffuseurs privés ne sont donc pas propres à l'histoire récente. Elles ont accompagné toute l'existence du diffuseur public. Nous y reviendrons.

Une question de mandat

Lors de la mise sur pied du service radiophonique public canadien, il a d'abord fallu définir le mandat de Radio-Canada et de CBC. Quel lien devait-on établir entre le gouvernement canadien et CBC/Radio-Canada ? Selon l'auteur Pierre Pagé, ce débat philosophique n'a pas occupé toute la place, car les bâtisseurs de Radio-Canada étaient trop préoccupés par les aspects pratiques et logistiques de l'opération. Sur l'importante question de l'indépendance du service public, la solution la plus naturelle a alors été de se tourner vers la Grande-Bretagne. Le modèle de la BBC existait déjà. Quoi de plus naturel que de l'importer tel quel ? Quoi de plus simple, puisque le premier président de Radio-Canada et de CBC était un Britannique qui avait apporté dans ses bagages le seul modèle qu'il connaissait ? Depuis lors, toutes les générations d'employés et d'administrateurs du service public se sont toujours inspirées de la BBC comme modèle et référence.

Le Canada comportant deux grands ensembles linguistiques, francophone et anglophone, une autre question fondamentale a fait partie des discussions : ce service devait-il être bilingue et diffusé sur une seule antenne, ou plutôt constitué de deux antennes, avec deux programmations distinctes ? Devait-il y avoir une seule direction, ou une pour le Canada francophone et une autre pour le Canada anglophone ? Voilà une question encore pertinente… Toujours est-il qu'avant 1936 l'expérience de la Commission canadienne de la radiodiffusion à l'antenne avait permis de tester certaines recettes de programmation. Le modèle privilégié au départ était un service bilingue avec une programmation commune. Tout ça, rappelons-le, était bien avant les débats sur le bilinguisme au Canada et sur la place du français au Québec. D'ailleurs, les francophones ne sont pas les seuls à avoir demandé une autonomie dans la programmation. Les anglophones l'ont fait également. Pierre Pagé raconte une anecdote à ce sujet. Avant 1936, dans le cadre de la programmation bilingue de la Commission canadienne de la radiodiffusion, il y avait à l'antenne une émission du Trio lyrique de Lionel Daunais. Les auditeurs anglophones furent nombreux à se plaindre du choix des chansons françaises de Lionel Daunais. On découvrait du coup une évidence, à savoir que les auditoires anglophone et francophone avaient des préférences et des goûts fort distincts.

Déjà quelques années avant la création du service public, la commission Aird avait recommandé la création d'une société détenue par l'État afin d'exploiter un système de radiodiffusion national. Lors de son adoption, la Loi sur la radiodiffusion prônait la création d'une société publique composée de deux entités distinctes, Radio-Canada pour les francophones et CBC pour les anglophones. On doit donc comprendre qu'au moment de la création du radiodiffuseur « national », il y avait une intention politique claire de refléter les deux groupes linguistiques.

Signalons deux gestes d'autonomie marquants du

réseau français par rapport à CBC. Le premier a eu lieu en janvier 1941, lorsque le directeur général adjoint, Augustin Frigon, a inauguré le Service des nouvelles de Radio-Canada et choisi d'en confier la direction à Marcel Ouimet. Le geste n'était pas sans signification. C'était un moyen d'affirmer l'indépendance éditoriale de la radio française qui, jusque-là, devait se contenter de traduire en français les nouvelles en provenance des salles de presse de Toronto et de Winnipeg. À l'époque, l'autre source d'information était la Canadian Press, qui n'offrait son service qu'en anglais.

Le second geste marquant est survenu en octobre 1941, lorsque Radio-Canada a lancé le Service de Radio-Collège, une entité au statut égal à celui du Service des nouvelles au sein de Radio-Canada. En pleine guerre, pendant que sévissait la censure, Radio-Collège devenait une sorte de bastion libre de la culture francophone, par opposition aux autres émissions qui étaient largement contrôlées par le gouvernement.

Le modèle qui a inspiré Augustin Frigon et son collaborateur, le professeur et réalisateur Aurèle Séguin, provenait de la Grande-Bretagne, où la BBC avait développé une radio « éducative ». Cette toute nouvelle programmation a procuré un espace de liberté aux créateurs et aux artisans de Radio-Canada. Elle était plus indépendante, car elle n'était pas soumise comme le Service des nouvelles à la même obligation de soutenir l'effort de guerre, à la censure et à la propagande.

Je salue ici ces artisans de Radio-Collège qui ont contribué à façonner l'identité canadienne-française et « québécoise » en devenir. Il est nécessaire de le faire, car on a trop souvent attribué aux seuls artisans de la télévision de Radio-Canada ce rôle majeur dans le développement de la culture et de l'identité culturelle des francophones. Or bien avant l'arrivée de la télévision, Radio-Collège traçait déjà le chemin depuis 1941.

Les services de nouvelles et la Seconde Guerre mondiale

En information, c'est encore une fois CKAC qui a ouvert la voie pour les francophones, puisque dès 1938 Albert Duquesne lisait au micro les nouvelles rédigées par la trentaine de journalistes de CKAC. La station privée a coiffé Radio-Canada dans la course à la création d'un véritable service de nouvelles radio. Fait intéressant, CKAC visait à desservir non seulement Montréal, mais aussi tout le Québec. Cela a forcé Radio-Canada à développer une stratégie d'expansion au Québec, en même temps que d'un océan à l'autre.

Du même coup, cette émulation a accéléré l'obligation pour le service public d'offrir une programmation précisément destinée aux francophones, et donc de se dissocier d'une approche commune avec CBC.

Dans le rapport de Radio-Canada au pouvoir politique, un événement majeur a marqué une étape importante : l'entrée en guerre du Canada contre l'Allemagne nazie, le 10 septembre 1939. Le jour même, le premier ministre Mackenzie King s'adressait à la radio de façon distincte aux deux groupes linguistiques. Ce faisant, il consacrait la formule d'une programmation autonome pour le Service français de Radio-Canada. C'était inespéré pour les tenants de cette approche.

Après deux ans de guerre, la nécessité de mieux informer la population d'un océan à l'autre sur les combats de l'armée canadienne en Europe devenait de plus en plus évidente ; cela a permis la création du Service des nouvelles de Radio-Canada.

En plus de la déclaration de guerre, Mackenzie King annonçait du même coup une mesure de censure pour tous les médias au pays. Ceux-ci ne pouvaient plus parler ou écrire de façon indépendante. Ils étaient soumis à une formule de censure sur les sujets en lien avec la guerre. La saine distance entre Radio-Canada et le gouvernement fédéral était donc une vue de l'esprit en 1942, lorsque le gouvernement canadien a organisé un plébiscite sur la conscription. Dans un article intitulé « La censure en temps de guerre : Radio-Canada et le plébiscite de 1942 », paru dans la *Revue d'histoire de l'Amérique française*[5], Alain Canuel raconte que la direction de Radio-Canada avait à l'époque délibérément bloqué l'accès des ondes aux opposants à la conscription de 1942 – ceux qui représentaient l'option du « non » – alors que les tenants du « oui », favorables à la conscription, ont pu s'exprimer amplement. Tout ça au nom de l'unité nationale.

Radio-Canada n'a certes pas été la seule à devoir composer avec ces nouvelles règles. En effet, à la même époque, l'histoire d'une autre institution, l'Office national du film du Canada (ONF), a été marquée par la volonté du gouvernement canadien d'appuyer l'effort de guerre de l'armée canadienne. On peut d'ailleurs visionner sur le site de l'ONF de nombreux films produits à cette époque. Ce sont des documents qu'on pourrait aujourd'hui étiqueter sans réserve de propagande gouvernementale. Dans le lot, on trouve des films animés du célèbre Norman McLaren[6], notamment un film qui fait campagne pour les fameux Bons de la victoire qui aidaient à financer les efforts de guerre consentis par le Canada.

---

5. Alain Canuel, « La censure en temps de guerre : Radio-Canada et le plébiscite de 1942 », *Revue d'histoire de l'Amérique française*, vol. 52, n° 2, automne 1998, p. 217-242.

6. Norman McLaren, né en Écosse en 1914, décédé à Montréal en 1987. Réalisateur de l'Office national du film, il est considéré comme une des figures majeures du cinéma d'animation dans le monde. Plus d'information à blogue.onf.ca/blogue/2011/11/22/70-ans-danimation-2e-partie-norman-mclaren/.

Les gens qui ont vécu cette période peuvent témoigner de ces messages patriotiques conçus par l'ONF et présentés durant la Seconde Guerre mondiale sur les écrans des cinémas de quartier.

À la radio, le grand héros parmi les journalistes de la guerre était Marcel Ouimet. Parfaitement bilingue, il produisait des reportages aussi bien pour le réseau français que pour le réseau anglais. C'est lui qui, en 1943, donnait les nouvelles en provenance du front où étaient engagés les soldats canadiens. Deux années plus tard, Radio-Canada International (RCI) entrait en ondes. On y retrouvait dès 1946 un certain René Lévesque de retour, lui aussi, du front, où il avait travaillé non pas pour Radio-Canada, mais pour la radio américaine Voice of America. Il accompagnait l'armée américaine dans ses combats et ses déplacements en Europe. Dans ses mémoires, René Lévesque raconte avec émotion son arrivée à Dachau quelque temps après la libération par les troupes américaines des derniers prisonniers juifs encore vivants de ce camp de concentration.

Lorsque le Canada participera à la guerre contre la Corée du Nord, en 1950, c'est ce même René Lévesque qui livrera les reportages sur les ondes de RCI. On peut écouter quelques-uns de ces reportages dans le site web archives.radio-canada.ca. Il y développe alors un grand talent de vulgarisateur qui lui vaudra sa célébrité quelques années plus tard, lorsqu'il passera à la télévision.

L'âge d'or de la radio

La période de la Seconde Guerre mondiale est qualifiée par certains d'âge d'or de la radio. C'est d'abord parce que toutes les familles voulaient avoir des nouvelles du front, mais cet âge d'or est aussi perçu comme tel pour une autre raison importante. C'est l'époque des débuts des radioromans préférés de la génération de ma mère et de ma grand-mère. À la maison, elles écoutaient *Rue principale*[7] et *Un homme et son péché*[8]. L'imaginaire collectif proposé par les radioromans a permis de renforcer ce sentiment d'appartenance des francophones à leur identité nationale et de définir le portrait culturel de la collectivité canadienne-française, comme on l'appelait à l'époque. En plus, la programmation de Radio-Collège proposait des incursions dans l'histoire de l'humanité et dans le monde des idées.

Au même moment, les Canadiens anglais bâtissaient eux aussi leur propre identité nationale, de plus en plus canadienne et de moins en moins britannique. Dans leur cas, cette quête identitaire s'est toujours faite en cherchant à se distinguer de la culture américaine.

Radio-Canada a donc servi à forger tout aussi bien l'identité nationale des francophones que celle des anglophones de ce pays. C'étaient deux identités, chacune aux prises avec ses propres défis. Et on ne parle pas ici des identités acadienne ou amérindienne.

À la suite de la génération de mes parents, la mienne a retrouvé le fil continu de cette quête d'identité culturelle entre les premières versions d'*Un homme et son péché* à la radio, reprises à la télévision pour la génération suivante sous le titre *Les Belles Histoires des pays d'en haut*. Encore aujourd'hui, il

---

7. *Rue principale* était un des premiers feuilletons radiophoniques au Québec. Il a tenu l'antenne au quotidien pendant vingt-deux ans, avec des intrigues sentimentales et policières. Ce feuilleton a été écrit par plusieurs auteurs successifs, d'abord Édouard Baudry, puis Rolland Bédard, Paul Gury et René O. Boivin. Il a été diffusé par CKAC, CHRC et Radio-Canada.

8. *Un homme et son péché* était d'abord un roman de Claude-Henri Grignon. C'est devenu un feuilleton radiophonique en 1939. Le personnage principal s'appelait Séraphin Poudrier.

est permis de se raccrocher à ce patrimoine culturel à l'occasion des rediffusions des *Belles Histoires*.

Mais encore une fois, les radiodiffuseurs privés ont été les premiers à proposer une programmation de radioromans. D'ailleurs, on l'a constaté, la frontière entre les deux types de programmations, privée et publique, était fort mince. À preuve, il n'était pas rare, surtout à cette époque, de voir les radiodiffuseurs faire du maraudage auprès de certaines grandes vedettes. C'est ainsi que Roger Baulu, celui qu'on appelait le Prince des annonceurs, a d'abord été une vedette de CKAC. Bien avant *La Poule aux œufs d'or*[9] qu'il animait à la télévision de Radio-Canada, Roger Baulu a été l'animateur de jeux-questionnaires radiophoniques célèbres, comme *La Course aux trésors*. Son départ vers Radio-Canada au début de la guerre avait provoqué tout un émoi et accentué la rivalité entre CKAC et Radio-Canada. Roger Baulu a passé une grande partie de sa vie professionnelle à Radio-Canada. Il y a connu une brillante carrière d'annonceur, d'abord à la radio et par la suite à la télévision, où il a coanimé la célèbre émission de fin de soirée *Les Couche-tard*[10] avec Jacques Normand, de 1960 à 1970.

Dès la fin du match de hockey du samedi soir, encore enfant, on me permettait d'étirer la soirée de quelques minutes. Couché par terre devant le téléviseur familial avec mes frères les plus âgés, je me laissais bercer par la chanson thème de l'émission, écrite par Jean-Pierre Ferland :

---

9. Jeu-questionnaire télévisé diffusé par Radio-Canada de 1958 à 1966. Lorsque les concurrents avaient bien répondu aux questions de l'animateur, ils pouvaient choisir entre un modeste prix en argent ou un œuf contenant un prix de valeur inconnue.

10. Talk-show de fin de soirée au ton humoristique qu'on pourrait qualifier d'ancêtre d'*Appelez-moi Lise* et de *Tout le monde en parle*.

Regardez-les, les couche-tard, ils ont l'œil lourd et gris
Ils traînent le jour, les couche-tard, et poussent la nuit
Ils vivent au soleil de minuit et on les arrose au whisky,
ces fleurs de macadam…

Ces paroles résonnent encore dans mes souvenirs d'enfant. J'aimais être un couche-tard et jouer aux grands parmi les aînés de la famille.

CHAPITRE II

Difficultés temporaires

L a télévision a eu un effet spectaculaire sur la vie des gens. Ainsi, la vie de famille s'est considérablement transformée, parce que la télévision avait un immense pouvoir d'attraction et constituait du même coup un pôle rassembleur extraordinaire. Elle imposait son horaire et son rythme de vie. Les repas d'une famille de six enfants comme la nôtre étaient toujours bousculés par la télé. Après l'école, les enfants mangeaient leur collation à toute vitesse afin de vite retrouver leurs héros de *La Boîte à surprises,* ou Luc et Luce d'*Opération mystère*[1]. Nos regards fixaient religieusement le petit écran. De leur côté, les adultes découvraient *Les Belles Histoires des pays d'en haut.* Cette série culte a tellement frappé l'imaginaire collectif que l'on confond parfois la fiction et la réalité historique du Québec.

Concrètement, la société à laquelle appartenaient mes parents leur était révélée. En effet, la « boîte à images » leur offrait un reflet d'eux-mêmes très valorisant. Et quel cadeau pour les francophones ! C'est en grande partie à l'irruption de la télévision dans nos vies que nous devons la nouvelle prise de conscience de notre identité collective. Le public francophone découvrait des personnalités fortes comme celle d'un Pierre Trudeau, de la revue *Cité Libre,* qui en 1957 osait

---

1. *Opération mystère* : la toute première série télé de science-fiction pour enfants à Radio-Canada.

contester le pouvoir absolu de l'Église à l'occasion d'un débat à l'émission *Prise de bec*[2]. Ou encore celle du directeur du journal *Le Devoir*, Gérard Filion, qui en 1958 dénonçait avec vigueur des membres du gouvernement québécois de Maurice Duplessis impliqués dans ce qu'on a appelé le « scandale du gaz naturel[3] ».

La télévision montrait aussi la vie des gens en action, elle proposait une identité culturelle et elle donnait même un visage à la fierté. Des talents immenses – pensons à Félix Leclerc – sont venus, chacun à sa façon, exprimer notre culture et, du même coup, nous faire prendre conscience de sa valeur. De quoi certainement enorgueillir les francophones et les rassurer malgré leur statut minoritaire au pays. C'est le constat que fait Jean-Pierre Desaulniers[4], fin observateur de l'influence des médias, cité dans *L'actualité* en 2002 :

> [...] dans la plupart des pays du monde, l'imaginaire collectif a été cultivé essentiellement par une littérature et un cinéma nationaux [...]. Au Québec, il s'est constitué en grande partie par la télé. Parce qu'elle est arrivée au moment où la société québécoise avait grand besoin de moderniser son identité[5].

---

2. *Prise de bec* était l'une des premières émissions de débat politique à la télévision, animée par Roger Duhamel et diffusée de 1956 à 1958. Voir Fonds Roger Duhamel, BAnQ Vieux-Montréal.

3. « Plusieurs ministres du gouvernement Duplessis ont commis un délit d'initié en achetant des titres de l'entreprise québécoise de gaz naturel avant leur émission. » Gérard Filion, *Le Devoir*, 13 juin 1958.

4. Jean-Pierre Desaulniers, professeur à la Faculté de communication de l'UQAM, décédé en 2005. Il a beaucoup étudié la télévision québécoise.

5. Cité dans Véronique Robert, « 50 ans de télé », *L'actualité,* août 2002.

Par ailleurs, si les gens de ma génération sont si attachés à Radio-Canada, c'est également, il faut le reconnaître, parce qu'elle a détenu un monopole à Montréal durant près de dix ans avant l'arrivée de sa rivale, Télé-Métropole, en 1961. Nous étions contraints *de facto* de regarder toute la programmation d'une seule chaîne francophone, car nous ne pouvions en regarder aucune autre ! Radio-Canada n'avait pas besoin de mesures d'écoute de BBM ou autres firmes...

Sa télévision se retrouvait presque seule à construire une identité culturelle. En ce sens, ce monopole radio-canadien a bien servi la propagation de la culture et des idées qui ont par la suite façonné la Révolution tranquille au Québec. Encore aujourd'hui, l'identité culturelle des francophones du Québec tire largement son origine de ce legs patrimonial. Pourtant, certains ont nuancé ce constat. À propos de l'influence de Radio-Canada, Jean-Pierre Desaulniers ajoutait :

> Les artisans de Radio-Canada avaient l'esprit ouvert, mais il s'agissait en majorité d'intellectuels d'Outremont instruits chez les Jésuites, dont ils avaient conservé l'attitude hautaine vis-à-vis du peuple [...]. Dès que les gens ont pu connaître une relation plus égalitaire avec leur télévision, ils ont sauté sur l'occasion[6].

Une télévision bilingue

À ses débuts, la télévision publique fonctionnait à l'image du Canada de l'époque. Ainsi, les employés de Radio-Canada devaient prêter serment d'allégeance à la reine pour y travailler, un serment qu'on a discrètement cessé d'exiger au début des années 1970. La correspondance et même les

---

6. Cité dans *ibid.*

chèques de paie n'étaient rédigés qu'en anglais. Radio-Canada était aussi à l'image de la place qu'on proposait aux francophones au sein du Canada. En effet, de 1952 à 1954, la télévision de Radio-Canada offrait une programmation bilingue, sur une seule antenne, au même « canal 2 », ce qui ne correspondait pas du tout aux attentes de la société francophone d'alors. Pourtant, le bilinguisme n'était pas très répandu au pays, sauf chez les francophones de l'extérieur du Québec, et ce, la plupart du temps par obligation. Personne n'oserait aujourd'hui suggérer une telle formule bilingue de chaîne télévisée.

Il faut tout de même mentionner qu'une idée semblable a brièvement refait surface en 1992. Sous la présidence de Gérard Veilleux, CBC Newsworld, la chaîne d'information continue du réseau anglais, a demandé au CRTC l'autorisation de traduire en français quatre heures de programmation de soirée à l'intention des compagnies de câble desservant le public francophone.

La Fédération professionnelle des journalistes du Québec (FPJQ), que je présidais à l'époque, avait dénoncé fermement cette idée :

> La proposition de traduction de Newsworld ne peut être le canal d'information continue qu'attendent les francophones. L'égalité entre francophones et anglophones dans ce pays, et il faut qu'on le sache à la haute direction de Radio-Canada, c'est tout à fait l'opposé du sous-titrage et de la traduction ! C'est un statut égal pour les deux peuples[7].

Cette demande a heureusement été rejetée. Trois années plus tard, le 1er janvier 1995, RDI entrait enfin en ondes.

---

7. FPJQ, communiqué, février 1992.

Mais revenons au début de la télévision. En 1954, les francophones à la direction de Radio-Canada ont voulu s'affranchir de cette programmation bilingue et prendre rapidement en main leur propre programmation. La quête d'autonomie de Radio-Canada par rapport à CBC ne faisait que commencer. De tout temps, la direction des Services français de Radio-Canada a dû se battre pour préserver sa part du budget global de CBC/Radio-Canada. Cette part de budget réservée a varié au fil des ans de 35 à 40 %. Encore aujourd'hui, la séparation des budgets est fondamentale, parce qu'elle permet aux francophones d'établir une programmation distincte en ayant les coudées franches. Pour le personnel francophone, il s'agissait de trouver son espace au sein d'une entreprise dirigée par des anglophones.

La grève des réalisateurs

À leur manière, les réalisateurs des émissions du réseau français ont été partie prenante de cette quête d'autonomie en 1959.

En effet, le 5 décembre 1958 a débuté une longue grève impliquant les réalisateurs. Ces derniers exigeaient le droit de former un syndicat, ce qui était vu d'un mauvais œil par le gouvernement conservateur de John Diefenbaker. Mais il ne s'agissait pas seulement d'un conflit de travail. Entre les réalisateurs et la direction de CBC/Radio-Canada se jouait aussi une bataille pour la liberté de proposer une programmation indépendante destinée aux téléspectateurs francophones. C'était l'un des objectifs derrière la demande d'accréditation syndicale. Dans ce bras de fer, le pouvoir politique ne s'est d'ailleurs pas gêné pour laisser pourrir le conflit. Pendant trois longs mois, la direction de CBC/Radio-Canada n'a dépêché que des représentants unilingues anglophones pour négocier. Ça en dit long sur le poids des francophones au sein de la haute direction. Dans une entrevue qu'il m'accordait à Radio-Canada en 1986, René Lévesque disait :

[…] à Ottawa, le ministre du Travail Michael Starr laissait le conflit s'éterniser, et pendant ce temps, durant toute la grève, Radio-Canada présentait à l'antenne les meilleurs films en français disponibles, de quoi nous faire « sacrer » tous, sur les piquets de grève[8] […].

On peut certainement émettre l'hypothèse qu'un tel conflit n'aurait pas duré aussi longtemps si CBC, et non Radio-Canada, avait déclenché cette grève. C'est du moins ce que pensaient l'animateur de Radio-Canada René Lévesque et le comédien et président de l'Union des artistes d'alors, Jean Duceppe.

Ces deux figures célèbres, acteurs importants de ce conflit de travail, se sont associées à *Difficultés temporaires,* un spectacle de solidarité avec les réalisateurs en grève. Jean Duceppe et le comédien Jean-Louis Roux avaient mobilisé toute la colonie artistique du Québec en soutien aux réalisateurs en grève. Cet appui a été déterminant dans leur victoire. En effet, les vedettes consacrées par la télévision quelques années plus tôt montaient aux barricades aux côtés des réalisateurs. Il n'était pas étonnant qu'en fin de compte la population choisisse le camp des grévistes… et des vedettes ! Le retour au travail s'est fait dans l'enthousiasme, les réalisateurs ayant gagné la reconnaissance syndicale souhaitée. Ils étaient aussi convaincus d'avoir contribué à l'épanouissement des francophones.

Pourquoi le gouvernement avait-il laissé ce conflit durer aussi longtemps ? C'était probablement en partie parce qu'il

---

8. Série d'émissions pour souligner le 50ᵉ anniversaire de Radio-Canada. Archives de Radio-Canada.

supportait mal l'idée que le réseau français de Radio-Canada puisse avoir une structure syndicale différente de celle de CBC. Mais il faut dire aussi que du côté de la direction de Radio-Canada on craignait de laisser trop de pouvoir décisionnel entre les mains des réalisateurs.

Souvent au cours de l'histoire, lorsque le parti au pouvoir est majoritaire au Parlement fédéral, son attitude s'accompagne d'une forme d'arrogance à l'égard de Radio-Canada. On le verra plus loin à d'autres époques. Pour le gouvernement conservateur du premier ministre John Diefenbaker en 1959, c'était bel et bien le cas. Son parti avait, quelques mois plus tôt, remporté les élections fédérales avec une écrasante majorité.

À ce propos, un incident éloquent s'est produit au réseau anglais en 1959 et a marqué les mémoires à Toronto. Le directeur général de CBC, Ernie Bushnell, avait décidé de retirer des ondes une courte émission matinale et quotidienne de la radio, *Preview Commentary*. L'émission était réputée déplaire au premier ministre Diefenbaker, parce qu'on y entendait des commentaires critiques sur son gouvernement. La décision de retirer l'émission avait été acceptée par toute la haute direction, mais une trentaine de réalisateurs ont menacé de démissionner sur-le-champ. Le PDG Alphonse Ouimet et le conseil d'administration ont dû battre en retraite. Tout le monde était convaincu que l'ordre de retirer cette émission des ondes était venu du ministre responsable de CBC, George Nowlan, mais le directeur Ernie Bushnell l'a toujours nié.

Fin du règne de Duplessis

De son côté, Maurice Duplessis, qui était habité par la haine du communisme, observait tout cela en maugréant. Pour lui, la télévision de Radio-Canada était devenue un nid d'opposants à son pouvoir politique. Était-ce le cas ? Dans une émis-

sion sur le cinquantième anniversaire de Radio-Canada diffusée en 1986, René Lévesque disait que la télévision avait été
en quelque sorte un révélateur de ce qui se passait dans tous
les secteurs de la société. Dans la même émission, Gérard Pelletier[9] reconnaissait que Radio-Canada avait « certainement
contribué à lever les interdits et surtout permis qu'il y ait des
débats de société[10] ». Nous parlons ici d'une époque où l'axe
dominant opposait les idées progressistes aux idées conserva-
trices. C'était aussi le temps où les tenants de l'opposition
progressiste francophone ne s'entre-déchiraient pas encore
entre fédéralistes et indépendantistes.

Quelques mois après la fin de la grève des réalisateurs,
Maurice Duplessis décédait. Un souffle nouveau déferlait sur
le Québec. Je me rappelle avoir vu, enfant, ces images de milliers de personnes venues se recueillir devant le cercueil de
celui qui avait exercé un contrôle serré sur tout le Québec.
« C'est le premier ministre du Québec qui est mort », m'avait
dit mon père sur un ton solennel. Il avait beau être libéral, il
éprouvait du respect pour la fonction de premier ministre.
Puis, assis dans le salon, nous avons regardé ce long cortège
funèbre télévisé en provenance de Trois-Rivières. Cette émission était impressionnante pour un enfant de six ans.

Pour la première fois, Radio-Canada s'initiait au grand
déploiement de son arsenal de caméras pour les événements
majeurs. Cette première a d'ailleurs été réalisée sous la direction de la section des « émissions religieuses » de Radio-
Canada, et non par le Service de l'information. Nous étions
en 1959, on peut comprendre. Quoique à bien y penser je me

---

9. Gérard Pelletier avait été journaliste, commentateur et syndica-
liste avant de devenir ministre dans le gouvernement libéral fédéral de
Pierre Trudeau.

10. Les deux entrevues font partie d'une des émissions de la série
spéciale du 50e anniversaire Radio-Canada.

souviens du malaise éprouvé par tous les journalistes de Radio-Canada lorsqu'en septembre 1984 les émissions spécialement conçues à l'occasion de la visite du pape Jean-Paul II au Canada avaient été confiées à la même section des émissions religieuses. « Sacré » débat sur la séparation entre l'Église et l'État…

Il reste que, Duplessis mort, nous sentions que quelque chose de nouveau allait se passer, c'est du moins ce que nous disaient les parents. Par la suite, la télévision nous a fait connaître une toute nouvelle figure, le nouveau premier ministre Paul Sauvé, à qui l'Histoire a attribué beaucoup de réalisations en peu de temps, 114 jours de pouvoir. En ce qui me concerne, le seul souvenir d'enfant qu'évoque en moi le premier ministre Paul Sauvé, c'est que sa mort a été annoncée par Jacques Fauteux au bulletin de nouvelles de Radio-Canada le 2 janvier 1960. Tout ça est venu détourner l'attention et l'intérêt de tous les invités de notre soirée familiale des fêtes à la campagne. La fête a pris une tournure qu'un enfant de sept ans ne souhaite pas vraiment. Nous avons été obligés d'apprendre le nom d'un troisième premier ministre en quelques mois, celui d'Antonio Barrette.

Lesage et Lévesque au pouvoir

Le nom de ce premier ministre a fait long feu, car aussitôt arrivé, aussitôt parti. Un nouveau nom était sur toutes les lèvres, celui de Jean Lesage. Il prenait le pouvoir en juin 1960 avec son « équipe du tonnerre », qui incluait la vedette consacrée de la télévision, René Lévesque. Une vraie révolution… tranquille, même à la maison, où mes parents se réjouissaient de ce changement politique !

Pour Radio-Canada, c'était une première. Une de ses personnalités vedettes était au pouvoir. Une première également pour les journalistes de la salle des nouvelles, qui devaient couvrir le parcours et le discours politique d'un des leurs. Ce ne serait pas la dernière fois, puisque le même scénario allait se reproduire au cours des années subséquentes, par exemple lorsque Gérard Pelletier et Jeanne Sauvé ont eux aussi fait le saut dans l'arène politique. Il ne date donc pas d'hier que les partis politiques fassent appel à de bons communicateurs jouissant d'une notoriété consacrée pour combler leurs rangs. Pour s'en rendre compte, il faut voir avec quelle aisance une personnalité comme René Lévesque répondait aux journalistes et brillait aux émissions comme *Les Couche-tard.*

À cette époque, René Lévesque faisait partie de la famille politique libérale, qui était la même à Ottawa et à Québec. Le Parti libéral du Québec n'était pas indépendant du Parti libéral du Canada. Nul besoin de se sentir en porte-à-faux lorsque coup sur coup les libéraux Lévesque et Lesage sont reportés au pouvoir en 1962 et qu'à Ottawa le libéral Lester B. Pearson est élu en 1963. Seule différence, Pearson était à la tête d'un gouvernement minoritaire après les années du gouvernement conservateur majoritaire de John Diefenbaker. Diefenbaker, celui-là même qui avait vu d'un mauvais œil ce réveil des francophones à travers « la boîte à images » de Radio-Canada.

On avait alors l'impression, c'est du moins ce que me racontaient mes parents – et je les croyais encore à cette époque –, que tout allait bien.

La collision des nationalismes

Toutefois, un grand schisme allait bientôt se produire au sein de la francophonie canadienne… Une bataille épique entre deux nationalismes, le nationalisme canadien-français d'une part et le nouveau nationalisme québécois d'autre part. Les deux camps seraient animés et portés par deux vedettes

CHAPITRE III

Fin du monopole, début des tensions

Le 19 février 1961, Télé-Métropole, la toute nouvelle télévision privée, entrait en ondes. Fin de l'exclusivité ! Le choc a été brutal. Si, jusque-là, tout le monde avait regardé la seule programmation disponible, il y avait maintenant de la concurrence. Le public avait désormais le choix.

Avec l'arrivée de ce concurrent qui, très tôt, lui a fait ombrage, Radio-Canada aurait pu saisir l'occasion pour se définir une nouvelle personnalité. De l'automne 1952 à l'hiver 1961, surtout dans la région de Montréal, Radio-Canada avait détenu le monopole de la créativité et avait pu profiter seule de la popularité qui en découlait. Elle semblait même se percevoir comme l'unique propriétaire des ondes pour l'éternité. L'arrivée de Télé-Métropole, le canal 10, lui a donné une grande leçon d'humilité.

Avec des vedettes célèbres et populaires comme Olivier Guimond, entre autres, la popularité de Télé-Métropole était assurée. Sa créativité aussi. Dès 1962, l'émission pour enfants *Capitaine Bonhomme*[1] savait rejoindre avec originalité un large public, même si certains parents trouvaient l'émission

---

1. *Capitaine Bonhomme*, devenue plus tard *Le Zoo du capitaine Bonhomme*, mettait en vedette son concepteur, Michel Noël.

quelque peu vulgaire pour les chastes oreilles d'enfants habitués à *La Boîte à surprises*[2] et à *Fanfreluche*[3].

Lors de l'inauguration de cette deuxième chaîne de télévision en 1961, Jean Lesage déclarait : « Nous avons confiance que Télé-Métropole servira les intérêts du Canada français[4]. » Le défi de la fidèle représentation des francophones à la télévision était ainsi lancé par le premier ministre du Québec lui-même.

Pourtant, Radio-Canada avait été utile au Parti libéral du Québec en faisant entendre les voix opposées au régime de Maurice Duplessis. Certains sont allés jusqu'à dire que le véritable ministère de la Culture du Québec, c'était Radio-Canada.

La nouvelle donne

Après avoir encaissé le choc de l'arrivée de son premier concurrent, la télévision de Radio-Canada consacrera son énergie à tenter de regagner sa popularité perdue. Mais y a-t-il eu un véritable examen en profondeur ? Prendre acte de l'apparition d'un concurrent est une chose, mais se définir

---

2.   L'émission *La Boîte à surprises,* diffusée de 1956 à 1972, a mis en vedette plusieurs personnages mémorables pour les enfants de l'époque : Fanfreluche, le Pirate Maboule, Michel le Magicien, Grujot et Délicat, Sol et Gobelet, etc.

3.   Fanfreluche était un personnage de poupée incarné par la comédienne Kim Yaroshevskaya qui racontait des légendes et des contes dans lesquels elle pouvait entrer pour les modifier à sa guise (1968-1971).

4.   Université de Sherbrooke, « Inauguration du poste de télévision Télé-Métropole », *Bilan du siècle,* [bilan.usherbrooke.ca/bilan/pages/evenements/20153.html].

une nouvelle vocation en raison de ce changement en est une autre. Surtout que, dès l'arrivée de Télé-Métropole, la formule de financement mixte – subsides du gouvernement et revenus commerciaux – commençait à peser lourd sur l'orientation du service public. Les responsables de programmes devaient définir des émissions nettement différentes de celles du réseau privé et, visiblement, le défi était de taille.

En réalité, personne à l'époque n'a saisi l'importance de cette nouvelle donne. À moins qu'on ait préféré fermer les yeux. Il n'y a pas eu de véritable débat pour définir le mandat du service public, ni chez les élus ni au sein de Radio-Canada, et encore moins dans la société québécoise. C'est ainsi que Radio-Canada a tâtonné pour trouver le juste équilibre entre son mandat de service public et l'obligation de rechercher des revenus commerciaux comme le concurrent privé afin de compléter son budget de fonctionnement. Elle l'a fait souvent avec imagination et succès, d'autres fois en s'écartant passablement de son mandat, quelquefois même en copiant à tort ce que faisait son concurrent. La façon de s'y prendre pouvait varier selon les patrons en place.

Il s'agissait d'une occasion ratée, car ce modèle de financement mixte manquait de souplesse et il a toujours constitué un boulet depuis. Il aurait valu la peine, dès ce moment-là, d'aller voir ailleurs, notamment en Europe, et de soupeser les différentes formules inventées par d'autres pays, par exemple les redevances payées directement par les propriétaires d'appareils de télévision. Ce genre de financement public présentait l'avantage d'être plus stable et beaucoup moins dépendant du climat politique de l'heure.

À l'opposé, le mode de financement retenu au Canada liait le diffuseur public au gouvernement et le mettait à la merci des politiciens. Pour compléter son financement, Radio-Canada n'avait d'autre choix que de se rabattre sur les revenus commerciaux. Désormais, elle devait composer avec les fluctuations économiques et la recherche d'auditoires.

Cette perpétuelle incertitude a influencé le type de programmation offert. Elle a en outre permis à certains de reprocher à Radio-Canada d'offrir une programmation de type trop « populaire » ou encore de faire une concurrence « déloyale » aux diffuseurs privés.

« À quoi servirait un service d'information public s'il faisait les choses comme les autres [les concurrents privés] ? » Cette question, je l'ai posée en 2012 dans un texte[5] d'adieu aux employés, lors de mon départ de la Maison de Radio-Canada. C'est à mon point de vue une question essentielle à laquelle Radio-Canada n'a jamais vraiment répondu[6]. Depuis la naissance d'un premier concurrent privé en 1961, elle hante la télévision publique sans qu'aucune réponse ne réussisse à rapprocher les visions qui s'opposent. *Devenir un PBS[7] du Nord ? Jamais ! Radio-Canada ne doit pas être élitiste et doit servir tous les citoyens ! On peut être populaire sans être élitiste ! Il n'y a pas de service public sans public !* Voilà quelques-unes des affirmations qu'on a entendues sur le sujet au cours des quarante dernières années. Et pendant tout ce temps, Radio-Canada s'est fait ballotter au gré des humeurs du gouvernement. Lorsque ce même gouvernement lui coupait les vivres, Radio-Canada tentait de compenser par la recherche à tout prix de revenus commerciaux. On le verra, cette situation a

---

5. Mon message aux employés est reproduit intégralement à l'annexe I.

6. Bien entendu, la question se pose aussi pour le secteur culturel de Radio-Canada, mais de façon différente.

7. Public Broadcasting Service (PBS) : réseau de télévision des États-Unis, non gouvernemental et sans but lucratif, financé par ses abonnés et ses campagnes de collecte de fonds quasi permanentes auprès du public. Sa politique de programmes met l'accent sur l'éducation des enfants, la diffusion de grands événements culturels et les grands documentaires d'information.

fragilisé le service public jusqu'à aujourd'hui, à un moment où le soutien de la population est à son plus bas à cause notamment du grand branle-bas numérique.

Déjà en 1966, après cinq années seulement de cohabitation entre Télé-Métropole et Radio-Canada, le journaliste André Laurendeau mettait en garde Radio-Canada contre la tentation d'imiter son concurrent :

> Radio-Canada doit s'adapter à la concurrence et le fait souvent mal [...]. Il me semble que le réseau français [de Radio-Canada] tente de récupérer son auditoire en utilisant les armes de son principal adversaire montréalais [...]. Je crois que c'est une erreur[8].

Le grand divorce entre francophones

C'est le même André Laurendeau qui a coprésidé la Commission royale d'enquête sur le bilinguisme et le biculturalisme[9], laquelle a tenté de trouver une réponse à la question de la place que devraient occuper les francophones dans ce pays. Il y avait urgence, car déjà l'insatisfaction de ces derniers grandissait au Québec, se manifestant dès qu'une injustice apparaissait dans le paysage. Radio-Canada en a témoigné. De leur côté, les multiples chapitres du rapport de la Commission B&B sont restés sur les tablettes. Au même moment, le grand divorce entre les francophones du Québec et ceux des autres

---

8. *Maclean's,* novembre 1966.

9. La Commission royale d'enquête sur le bilinguisme et le biculturalisme, coprésidée par André Laurendeau, rédacteur en chef du journal *Le Devoir,* et Davidson Dunton, président de l'Université Carleton, aussi appelée commission Laurendeau-Dunton ou Commission B&B, a été mise sur pied par le gouvernement Pearson en 1963.

provinces frappait de plein fouet lors d'une série de rencontres organisées sous l'égide de la revue *L'Action nationale,* avec la collaboration de plusieurs organismes, dont la Société Saint-Jean-Baptiste. Ces rencontres, baptisées les États généraux du Canada français, ont culminé en 1967 à la salle Wilfrid-Pelletier de la Place-des-Arts, à Montréal, où se sont réunies plus de 1 500 personnes, dont plus de 300 venaient d'autres provinces. Le professeur et futur ministre péquiste Jacques-Yvan Morin présidait l'événement. Des journalistes comme Jean-Marc Léger, qui deviendrait indépendantiste, et la future sénatrice Solange Chaput-Rolland, qui opterait pour le fédéralisme, y ont participé activement.

Les partisans d'un nationalisme québécois ont pris le dessus sur les tenants du nationalisme canadien-français. Un véritable raz-de-marée a emporté toute une interprétation de l'histoire du Canada français, considérée comme dépassée par les nouveaux nationalistes québécois. Des Franco-Ontariens et des Acadiens sont sortis meurtris de l'exercice, avec l'impression d'être désormais catalogués comme gardiens d'une vision passéiste de l'histoire commune des francophones. Pour leur part, les nationalistes québécois semblaient se ranger du côté de l'avenir d'un Québec fort, seul État en mesure de garantir l'épanouissement des francophones. Ces derniers étaient minoritaires au Canada, mais désormais majoritaires au Québec ! Le déséquilibre entre les deux visions était si puissant que certains Franco-Ontariens que j'ai bien connus ont choisi précisément ce moment, la fin des États généraux du Canada français, pour s'installer en permanence au Québec.

Ce nouveau constat a provoqué de nombreux tiraillements dans la gestion des Services français de Radio-Canada, notamment parce qu'il était de plus en plus difficile d'offrir une programmation commune satisfaisante à la fois pour les francophones du Québec et pour la francophonie canadienne.

Parallèlement, au sein de la jeunesse étudiante, nous

avions, mes camarades de classe et moi, l'obligation de tous nous redéfinir. Qui étions-nous, désormais ? Des Québécois, des Canadiens français, des Canadiens ? Notre questionnement donnait presque lieu à un avant-goût de la célèbre scène du désopilant personnage d'Elvis Gratton[10], créé par le cinéaste et écrivain Pierre Falardeau. La nouvelle quête identitaire des francophones du Québec était bel et bien en marche.

Les années 1960

Depuis le début des années 1960, plusieurs options politiques nouvelles avaient pris forme au Québec.

Radio-Canada en a témoigné en ouvrant ses ondes aux débats. Rappelons les principales propositions : il y avait la thèse du statut particulier du Québec, portée par Jean Lesage et son « équipe du tonnerre » ; celle des États associés, de Paul Gérin-Lajoie ; celle de l'indépendance du Québec, du Rassemblement pour l'indépendance nationale (RIN) de Pierre Bourgault ; celle de la souveraineté-association avec un trait d'union, de René Lévesque ; la thèse des deux nations véhiculée par plusieurs fédéralistes ; de même que « l'égalité ou l'indépendance », de Daniel Johnson. Sans oublier l'action plus radicale du FLQ, qui avait ses sympathisants.

C'est Daniel Johnson (père) qui a le mieux cerné le dilemme qui allait hanter les débats des années subséquentes :

---

10. Dans le court métrage *Les Vacances d'Elvis Gratton,* Elvis Gratton tente d'expliquer son identité à un Français : « Moé, j't'un Canadien-Québécois ; un Français canadien-français ; un Américain du Nord français ; un francophone québécois-canadien ; un Québécois d'expression canadienne-française française. On est des Canadiens-Américains francophones d'Amérique du Nord ; des Franco-Québécois. »

Il ne reste que deux options possibles entre lesquelles il faudra choisir avant 1967 : ou bien nous serons maîtres de nos destinées dans le Québec et partenaires égaux dans la direction des affaires du pays, ou bien ce sera la séparation complète[11].

C'était sans compter sur la vision de Pierre Trudeau. La table était mise pour plus d'une décennie, bien au-delà de 1967…

Bien entendu, les années 1960 étaient aussi des années de confrontations et de revendications des travailleurs. C'était le début de l'émancipation des femmes, de la pilule, qui a chamboulé les habitudes sexuelles, de l'exode des fidèles catholiques hors de l'Église. Sur le plan culturel, on se réjouissait tout autant de la visite des Beatles à Montréal que de l'explosion spectaculaire de la culture et de la chanson québécoises. On a chanté cette fierté lors de l'Expo 67, lieu de culture, de débats et de découvertes sans pareil. Tout était interrelié, il s'agissait d'un grand cri lancé en chœur par une société en ébullition qui exprimait son immense désir de libération. Ces événements et ces idées nouvelles ont été abondamment reflétés par Radio-Canada. En ce sens, les archives du diffuseur public constituent un patrimoine national exceptionnel.

Secousses à Ottawa

Ce sont les débats sur l'avenir du Québec au sein du Canada qui ont occupé la plus grande place dans l'actualité de la décennie. Et pour cause ! Une option favorisant la séparation

---

11. Cité dans Denis Monière, *Le Développement des idéologies au Québec*, Montréal, Québec Amérique, 1977.

du Québec était déjà née avec la mise sur pied du RIN de Pierre Bourgault. Cette option a gagné en popularité, d'abord avec la création du Mouvement souveraineté-association de René Lévesque, suivie de celle du Parti québécois en 1968.

C'est à ce moment que le pouvoir politique à Ottawa s'est mis à chercher une issue à la collision frontale en vue. En 1965, le premier ministre du Canada, Lester B. Pearson, avait repêché non pas une, mais trois nouvelles recrues. Les « trois colombes », c'est ainsi qu'on appelait les trois futurs ministres Jean Marchand, Gérard Pelletier et Pierre Elliott Trudeau. Des trois, c'est Pierre Trudeau qui proposait avec force la vision du pays la plus structurée. Grand intellectuel d'allure moderne, il incarnait le renouveau souhaité par plusieurs. Sauf que rapidement ses idées se sont heurtées à une autre vision du pays.

Avant même la montée en force de l'option de René Lévesque, alors que Pierre Trudeau était ministre du gouvernement libéral à Ottawa (1967-1968)[12], ce dernier dénonçait cette vision nationaliste québécoise, aussi bien celle du libéral Jean Lesage que celle de Daniel Johnson, premier ministre issu des rangs de l'Union nationale. Avant son entrée en politique, Pierre Trudeau avait été un habitué des débats d'idées que proposait régulièrement la télévision de Radio-Canada. Au fil des ans, on l'a vu défendre une conception de l'avenir des Canadiens français diamétralement opposée à celle qui était défendue par les « séparatistes[13] » de Pierre Bourgault, et surtout à celle de René Lévesque. Une bataille titanesque allait opposer René Lévesque et Pierre Trudeau.

---

12. Élu aux élections fédérales de 1965, Pierre Elliott Trudeau a d'abord été secrétaire parlementaire avant d'être ministre de la Justice, puis premier ministre.

13. *Séparatiste* : le qualificatif préféré des « trudeauistes » pour parler des indépendantistes et des souverainistes.

Il n'était pas étonnant que ce dernier fût si critique à l'égard de Radio-Canada dès que la télévision publique faisait écho – trop à son goût – aux idées opposées aux siennes sur l'avenir des francophones. L'indépendance de Radio-Canada à l'égard du pouvoir politique allait être rudement mise à l'épreuve. Pour cette bataille, Pierre Trudeau avait déjà indiqué ses intentions à l'égard du rôle des institutions relevant du gouvernement fédéral. En 1967, il avait livré le fond de sa pensée dans son livre *Le Fédéralisme et la société canadienne-française.*

Il y précise les rôles que devaient jouer certaines institutions fédérales qui œuvrent dans le domaine des idées et de la culture afin de contrer les idées « séparatistes » :

> Un des moyens de contrebalancer l'attrait du séparatisme, c'est d'employer un temps, une énergie et des sommes énormes au service du **nationalisme fédéral.** Il s'agit de créer de la réalité nationale une image si attrayante qu'elle rende celle du groupe séparatiste peu intéressante par comparaison. Il faut affecter une part des ressources à des choses comme le drapeau, l'hymne national, l'éducation, les conseils des arts, **les sociétés de diffusion radiophonique et de télévision,** les offices du film[14].

Affecter « des sommes énormes au service du nationalisme fédéral [...], des ressources à des choses [...] comme les sociétés de diffusion radiophonique et de télévision »... Il faudrait être naïf pour ne pas voir dans cette affirmation une intention politique et peut-être même le présage que le vrai combat des prochaines années se jouerait dorénavant entre les fédéralistes et les « séparatistes », y compris sur les ondes de Radio-Canada, prise entre l'arbre et l'écorce.

---

14. Pierre Elliott Trudeau, *Le Fédéralisme et la société canadienne-française,* Montréal, HMH, 1967, p. 203. Je souligne.

Le lundi 24 juillet 1967, un événement est venu exacerber les tensions lorsque le général Charles de Gaulle, du balcon de l'Hôtel de Ville de Montréal, a lancé un étonnant « Vive le Québec libre ! » devant des militants souverainistes en liesse qui n'en attendaient pas tant. Pour la première fois, leur combat était cautionné par la voix d'un personnage de stature historique. C'était inespéré. Un de mes frères, dont l'anniversaire est le 24 juillet, trouvait que la tablée s'intéressait peu à lui à l'occasion de son souper de fête, ce soir-là. Charles de Gaulle, un intrus célèbre, lui avait vraiment volé la vedette. On ne parlait que de cette déclaration choc. Deux jours plus tard, le 26 juillet, on a écouté en famille la réplique du maire Jean Drapeau, lors du dîner d'adieu au général. Nouvelles discussions. De Gaulle était-il un héros ? Avait-il eu tort de lancer cette phrase ? Drapeau avait-il été impoli de donner au général une leçon sur l'histoire des francophones du Canada abandonnés par la France en 1763 ? Nous étions tous un peu sonnés devant les émissions proposées par Radio-Canada. Nous nous rendions compte que le débat sur l'avenir du Québec venait d'entrer de plain-pied dans la famille.

Un an plus tard, c'est ce même Pierre Trudeau, devenu chef du Parti libéral en avril 1968, qui, la veille de l'élection fédérale qui allait le porter à la tête d'un gouvernement majoritaire, s'est présenté un fameux 24 juin sur la tribune d'honneur du défilé de la Saint-Jean-Baptiste. Devant lui circulait un cortège de chars allégoriques plutôt traditionnels et peu signifiants, mais un peu plus loin s'étaient regroupés des manifestants « séparatistes ». Dans un geste de défi, le nouveau chef du Parti libéral du Canada a voulu rester un temps sur la tribune d'honneur alors que des projectiles étaient lancés dans sa direction. Sa carrière politique était, elle aussi, propulsée ! Le lendemain, lors de l'élection du 25 juin 1968, il récolterait plus de suffrages qu'il ne l'avait espéré. « Trudeau a gagné », « Trudeau vainqueur » titraient à la une les grands quotidiens.

Pauvre Radio-Canada, ce soir-là. Avions-nous une radio et une télévision publiques ou une radio et une télévision d'État ? Retournons pour quelques instants à ce défilé du 24 juin 1968. Pendant que les caméras de l'émission spéciale de Radio-Canada ignoraient ce qui se passait au-delà des limites définies par les organisateurs de la Saint-Jean, un autre défilé se jouait à quelques mètres de là. Des manifestants, parmi lesquels Pierre Bourgault, le chef du RIN, contestaient la célébration trop bon enfant de cette fête vieillotte. Celle-ci deviendrait quelques années plus tard la Fête nationale du Québec tout en demeurant jusqu'à ce jour la fête de Saint-Jean-Baptiste, la fête des « Canadiens français » à l'ouest du Québec[15]. Les affrontements violents entre manifestants et policiers ce 24 juin 1968 font eux aussi partie de l'histoire du Québec et de celle de Radio-Canada.

Un des journalistes de la télévision de Radio-Canada, Claude Jean Devirieux, a voulu fournir une description exacte des affrontements qu'il avait vus. Il avait même relevé en ondes le matricule d'un policier qui lui avait paru particulièrement agressif. Mal lui en a pris. Dès le lendemain matin, il était suspendu par la direction de Radio-Canada. En réaction, ses confrères ont débrayé. Dans un livre paru en 2012, Claude Jean Devirieux écrit :

> Mes patrons, effrayés par les appels de protestation, m'ont suspendu pour la journée, mais avec salaire. Mes camarades de travail, tous les journalistes ayant couvert la campagne électorale ont refusé de travailler sans moi, disant qu'ils ne pouvaient sans ma participation donner un reportage complet et crédible. Les techniciens ont suivi. Bref, c'était la première fois depuis la création de Radio-Canada en 1952 : il n'y a pas eu de « Soirée des élections »

---

15. À l'est, les Acadiens célèbrent plutôt le 15 août.

ce jour-là, qui devait être le jour du triomphe électoral de Pierre Elliott Trudeau. Il ne l'a jamais oublié[16].

En effet, dans les archives de Radio-Canada, on ne trouve aucune trace de la soirée des élections fédérales du 25 juin 1968. Cette collision a marqué le début d'une autre période de fortes tensions, cette fois entre un gouvernement libéral majoritaire et la Société Radio-Canada.

Rencontré pour la rédaction de ce livre, Claude Jean Devirieux est convaincu que cet événement du 24 juin 1968 a marqué tout le reste de sa carrière et l'a bloqué sur le plan professionnel.

À la maison, ce soir-là, ça discutait fort entre les générations. Après tout, disaient mes parents, Pierre Trudeau n'est-il pas un des nôtres ? Comment peut-on lui faire subir un tel affront alors qu'un Canadien français va diriger le Canada ? Oui, mais son nationalisme canadien-français n'est peut-être plus le nôtre, nous sommes Québécois, osions-nous ajouter à la discussion ! C'est ainsi que les affiliations politiques des jeunes francophones se redéfinissaient à la vitesse de l'éclair !

Déjà, quelques mois avant cette mémorable Saint-Jean-Baptiste, soit le 7 mars 1968, le gouvernement libéral de Lester B. Pearson avait fait adopter une nouvelle loi redéfinissant la mission de Radio-Canada.

Celle-ci stipulait que la Société Radio-Canada « devrait contribuer au développement de l'unité nationale et exprimer constamment la réalité canadienne[17] ». La définition allait satisfaire les doléances de ceux qui accusaient Radio-Canada d'être un « nid de séparatistes ».

À peine un mois plus tard, le 7 avril, Pierre Trudeau allait

---

16. Claude Jean Devirieux, *Derrière l'information officielle. 1950-2000*, Québec, Septentrion, 2012.

17. Loi sur la radiodiffusion, texte de 1968.

devenir chef du PLC, puis premier ministre le 20 avril. Au moment de l'adoption de la loi, il était ministre de la Justice et n'était donc pas responsable de Radio-Canada. On peut quand même penser que son influence au sein du parti était déjà grande et que, compte tenu de ses déclarations antérieures, il était en parfait accord avec le projet.

Dans un autre ordre d'idées, Radio-Canada demandait un financement statutaire pour une période de cinq ans. Cela lui a été refusé. Le diffuseur public a dû se résoudre à être dépendant, annuellement, de la décision gouvernementale de maintenir, d'augmenter ou de réduire son budget. Cette situation, qui perdure aujourd'hui, a toujours nui à la planification et obligé Radio-Canada à quémander de l'argent année après année auprès du gouvernement. C'est ce qu'on appelle de la dépendance.

Finalement, la nouvelle Loi sur la radiodiffusion précisait que Radio-Canada devait dorénavant se soumettre au CRTC, qui devenait l'organisme réglementaire chargé d'évaluer si l'entreprise remplissait bien son rôle.

Benoît Lévesque et Jean-Guy Lacroix, professeurs au Département de sociologie de l'UQAM, écrivaient en 1988 :

> Soumise entièrement au CRTC, la Société Radio-Canada voyait ses pouvoirs réduits d'autant plus qu'elle n'avait pas réussi à obtenir ce qui lui semblait important pour son autonomie, à savoir un financement statutaire sur une base de cinq ans. La précision de son mandat dans le sens du développement de l'unité canadienne constituait un lourd défi pour le réseau de langue française à un moment où le mouvement nationaliste québécois était sur sa lancée[18].

---

18. Benoît Lévesque et Jean-Guy Lacroix, « Les libéraux et la culture : de l'unité nationale à la marchandisation de la culture (1963-1984) »,

Bref, Radio-Canada était sous surveillance et n'avait pas toujours la liberté nécessaire pour jouer pleinement et de façon indépendante son rôle de service public. La notion d'étanchéité, de saine distance *(arm's length)* est plus difficile à faire respecter en de telles circonstances.

Entre-temps, en juillet 1968, un événement important se produisait à l'interne : Raymond David devenait vice-président-directeur général des Services français de Radio-Canada et affirmait l'autonomie des Services français au sein de la société d'État.

Il s'était écoulé presque dix ans depuis la grève des réalisateurs, et les francophones occupaient de plus en plus d'espace dans la haute direction. Raymond David était représentatif du Québec de la Révolution tranquille. Originaire d'une famille nombreuse de Rosemont, il avait étudié au Collège Sainte-Marie, puis enseigné au Collège Jean-de-Brébeuf avant de devenir directeur de Radio-Collège au milieu des années 1950. Il était ensuite parti à Paris et à Londres pour y poursuivre ses études en sciences politiques. Il connaissait bien les jeunes politiciens qui joueraient plus tard de si grands rôles dans notre histoire, les Pierre Trudeau, René Lévesque, Robert Bourassa et Pierre Bourgault. Des années 1950 jusqu'à son départ de Radio-Canada en 1982, il a façonné Radio-Canada. Très jeune, à l'époque de Radio-Collège, il s'était déjà lié d'amitié avec le jeune réalisateur Marc Thibault, un autre personnage qui allait compter.

Marc Thibault aussi a connu plusieurs futurs politiciens en réalisant des émissions d'actualité avec, notamment, René

---

dans Yves Bélanger *et al.* (dir.), *L'Ère des libéraux. Le pouvoir fédéral de 1963 à 1984*, Montréal, Presses de l'Université du Québec, 1988, p. 257-293. L'article est disponible à : classiques.uqac.ca/contem porains/levesque_benoit/liberaux_et_la_culture/liberaux_et_la_ culture.html. La citation y apparaît à la page 25.

Lévesque et Gérard Pelletier. Il a dirigé de tels programmes du début des années 1960 jusqu'en 1982. Le tandem David-Thibault était aux plus hautes commandes de Radio-Canada quand Pierre Trudeau est devenu premier ministre en 1968, pendant la crise d'Octobre en 1970, au moment de l'élection du Parti québécois en 1976 et lors du premier référendum en 1980. C'est dire qu'ils ont traversé des années tumultueuses. Pour se moquer un peu, on disait à l'époque que Radio-Canada était dirigée par des jésuites. En effet, les deux hommes avaient acquis une grande culture, ils se faisaient un honneur d'écrire dans un français impeccable et attachaient beaucoup d'importance à la rigueur intellectuelle, parfois jusque dans le moindre détail. Les jeunes journalistes percevaient Marc Thibault comme distant et autoritaire, peut-être même un peu hautain, ce qui lui avait valu le surnom de Dieu le Père.

La « clé dans la boîte » (Pierre Trudeau)

Quelques mois après son élection, fort de sa large majorité, le nouveau premier ministre canadien Pierre Trudeau s'est permis de rappeler à l'ordre Radio-Canada plusieurs fois. À tel point que, le 19 octobre 1969, il déclarait à Montréal devant 4 000 militants libéraux : « C'est fini, les folies ! » Il accusait la Société Radio-Canada d'être favorable à la cause souverainiste et menaçait même de « mettre la clé dans la boîte[19] » !

---

19. Cette citation est exacte, mais l'expression n'existe pas. Trudeau voulait dire « mettre la clé dans la porte ». D'ailleurs, plus tard dans le même discours, il répète la même expression, mais se reprend et ajoute « dans la porte ».

consacrées de Radio-Canada, René Lévesque surtout, mais aussi un certain Pierre Trudeau, cofondateur avec Gérard Pelletier de la revue *Cité Libre* et invité remarqué à de nombreuses émissions d'affaires publiques de Radio-Canada. De plus, au sein même du nouveau nationalisme québécois, plusieurs tendances se manifestaient. On l'a senti de façon violente en mars 1963, lorsqu'une première bombe du Front de libération du Québec (FLQ) a explosé à Montréal. On a surtout vite perçu que les batailles pour imposer la bonne stratégie en vue de l'épanouissement du Québec se multipliaient.

Radio-Canada avait dû subir jusque-là les pressions — et parfois même les foudres — politiques du gouvernement fédéral, peu importe qui, des libéraux ou des conservateurs, était au pouvoir à Ottawa. Cependant, à la suite de l'éclatement de la nation canadienne-française en deux camps adverses, voilà que tout à coup les appartenances et leurs idéologies respectives étaient à redéfinir. D'une part, il y avait une vision canadienne de l'avenir des Canadiens français et, d'autre part, une vision québécoise de l'avenir des francophones. Laissés pour compte, les Canadiens français de l'extérieur du Québec cherchaient eux aussi la bonne voie à suivre. Au milieu de ce nouveau paysage, les journalistes de Radio-Canada étaient résolus à pratiquer un journalisme de grande qualité. Désormais, la radio et la télévision de Radio-Canada devraient composer avec les différents points de vue politiques au sein de la société québécoise. Bienvenue dans une nouvelle époque !

Le lendemain, lors d'une célèbre entrevue avec l'animateur Louis Martin et le journaliste Gérard Gravel à l'émission *Format 30,* Trudeau déclarait :

— Les gens en ont marre d'une certaine non-objectivité des journalistes de Radio-Canada qui semblent favoriser les séparatistes et ne couvrir que les débats impliquant les séparatistes [...]. Est-ce qu'il y a encore de la place dans les nouvelles pour autre chose que le séparatisme ?
— Les gens se demandent, dit Louis Martin, si une tutelle pourrait toucher Radio-Canada.
— C'est possible, rétorque sans hésiter Pierre Trudeau.
— À courte échéance ? ajoute l'animateur.
— Si on s'aperçoit que le dollar du contribuable n'est pas bien dépensé à Radio-Canada, on n'hésitera pas à couper le budget comme on l'a fait [au ministère de la Défense][20].

Le ton était donné. Radio-Canada et ses journalistes prenaient acte de l'ère Trudeau.

Le jour suivant, le 21 octobre, Louis Martin, fidèle à lui-même, recherchait l'équilibre des points de vue. Cette fois, c'était au tour de René Lévesque de contre-attaquer. Il soupçonnait la direction de Radio-Canada d'avoir obéi à des ordres du gouvernement Trudeau en mettant fin à la couverture systématique des congrès des partis politiques. Cette décision était intervenue précisément au moment de couvrir le congrès du Parti québécois du 17 octobre 1969[21].

Dans son livre sur l'histoire de la radio, Pierre Pagé raconte que, dans les jours suivants, Claude Ryan a écrit une série de trois éditoriaux dans *Le Devoir* sur « Le malaise de

20. Radio-Canada, *Format 30,* 20 octobre 1969, [archives.radio-canada.ca/politique/premiers_ministres_canadiens/clips/14791/].

21. Radio-Canada, *Format 30,* 21 octobre 1969, [archives.radio-canada.ca/emissions/261/].

Radio-Canada » : « La colère intempestive du prince »,
« D'où sont venus les problèmes qui exaspèrent M. Trudeau ? » et « Les problèmes réels sont-ils ceux qu'a vus
M. Trudeau ? ».

Claude Ryan écrit :

> Une longue tradition confirmée par la loi de 1968 sur la
> radiodiffusion a voulu qu'au Canada, le service public de
> radiotélévision soit établi sur des bases garantissant son
> indépendance vis-à-vis le pouvoir politique. Ni M. Saint-
> Laurent, ni M. Diefenbaker, ni M. Pearson[22] ne purent
> s'arroger la liberté de déroger à cette discipline[23].

Les journalistes et la direction de Radio-Canada se sont
bien rendu compte que les choses ne seraient plus jamais
simples. Comment témoigner de ce débat fondamental qui se
jouait au sein de la société québécoise alors que le pouvoir
politique fédéral manifestait tant d'hostilité et surtout tenait
les cordons de la bourse ?

Un baume sur les blessures subies lors de ces accro-
chages : Gérard Pelletier, alors secrétaire d'État, s'est dissocié
quelques jours plus tard des attaques de son chef Pierre Trudeau contre Radio-Canada. Le 25 octobre, dans une conférence intitulée « Pourquoi Radio-Canada fut créée libre », il
rappelait que l'institution relevait du Parlement canadien et
qu'elle devait établir son indépendance vis-à-vis du pouvoir
politique[24].

---

22. Les premiers ministres du Canada qui ont précédé Pierre Trudeau.

23. Claude Ryan, « La colère intempestive du prince », *Le Devoir*,
22 octobre 1969, p. 4.

24. Pierre Pagé, *Histoire de la radio au Québec*, Montréal, Fides, 2007,
p. 159.

De son côté, le vice-président de Radio-Canada, Raymond David, a défendu avec conviction l'indépendance du service public. « Ce qui dessert Radio-Canada, c'est d'être malgré soi au centre de la crise que traverse le Canada français[25]. » Pas facile, en effet, de refléter tous les courants d'opinion quand certains aimeraient mieux qu'on ignore le principal débat en cours sur la place publique.

Quoi qu'il en soit, le mal était fait. Un tel climat explosif s'avérait excessivement nocif pour la liberté et l'indépendance du Service de l'information et pour toute l'institution. Pendant les quelques années qui ont suivi, les journalistes étaient sur leurs gardes et se sentaient surveillés. Fallait-il s'autocenser ? Ne pas aller trop loin pour ne pas écoper sur le plan professionnel ou pour éviter que la situation de Radio-Canada ne tourne mal ? Il est évident que ces questions se posaient. Elles suscitaient même des débats, parce que plusieurs croyaient farouchement qu'il fallait affirmer l'indépendance de l'information, qu'il fallait pouvoir traiter de toutes les questions, de tous les sujets, en toute liberté et sans aucune forme de censure ou d'entrave. Au dire de certains, le climat était empoisonné.

Voilà le résultat quand la pression du pouvoir s'exerce sur le radiodiffuseur public, plus particulièrement à l'endroit de la télévision, le média de masse par excellence de l'époque. Nul doute que le fait que le gouvernement libéral ait été majoritaire explique autant d'arrogance du pouvoir politique. Sans compter que pour Pierre Trudeau cette lutte politique était celle de sa vie. L'excellent journaliste et animateur Louis Martin, excédé par un tel climat, a quitté Radio-Canada en 1971 pour aller enseigner le journalisme à l'Université Laval, puis

---

25. Raymond David, *Grandeurs et misères du journalisme électronique,* Conférence au Club Richelieu, décembre 1969, Service des publications de Radio-Canada.

diriger le magazine *Maclean's*. Il est revenu à Radio-Canada quatre ans plus tard comme patron, pour ensuite retourner à l'animation d'émissions. Dans les années 1990, il a fait un autre passage à la direction, au Service de l'information de la radio.

Tout comme l'avait fait le gouvernement conservateur de John Diefenbaker lors de la grève des réalisateurs dix ans plus tôt, Pierre Trudeau pouvait se permettre à son tour de rappeler à Radio-Canada qui était redevable à qui.

Conservateurs, libéraux, même combat contre l'indépendance… du diffuseur public.

Radio-Canada n'avait encore rien vu. La crise d'Octobre éclatait à l'automne 1970.

CHAPITRE IV

La collision identitaire. De la crise d'Octobre en 1970 à l'élection du Parti québécois en 1976

À l'automne 1990, j'ai réalisé un reportage portant sur la crise d'Octobre et les médias à l'émission *Le Point*. Celui qui avait été directeur général de l'information de 1968 à 1981, Marc Thibault, y racontait les années turbulentes que le Service de l'information avait connues au cours de son mandat. J'ai eu le privilège d'avoir quelques échanges avec lui à ce sujet.

Marc Thibault est un personnage marquant dans l'histoire de Radio-Canada. C'est lui qui était aux commandes lorsque Pierre Trudeau a menacé de « mettre la clé dans la boîte » de Radio-Canada. En fait, il est probablement celui qui, envers et contre tous, a le plus ardemment défendu l'indépendance du Service de l'information de Radio-Canada à l'égard du pouvoir politique et des lobbies de tous les horizons. Il a été une inspiration pour plusieurs journalistes et cadres de son temps et des générations suivantes, dont je fais partie. Au cours des années 1970, Marc Thibault a dû défendre son service plusieurs fois en commission parlementaire à Ottawa, devant le CRTC ou sur d'autres tribunes.

Par-dessus tout, ce qu'il a cherché à protéger, c'est cette indispensable indépendance de Radio-Canada, à une saine distance *(at arm's length)* du pouvoir politique. Pour lui, la radio et la télévision de Radio-Canada étaient avant tout des institutions publiques, elles n'étaient donc pas au service de l'État ou du gouvernement, mais bien au service du public. Il devait exister en tout temps une étanchéité entre Radio-Canada et le pouvoir politique, même si ce dernier lui accordait son budget annuel.

Par sa vision des choses, Marc Thibault a apporté une contribution inestimable à la construction d'une culture journalistique forte à Radio-Canada, culture qui anime encore aujourd'hui les artisans du service public. Dans une note de service du 10 mars 1977, Marc Thibault écrivait :

> Le service public de radiodiffusion qu'est Radio-Canada ne peut d'aucune manière être utilisé comme instrument de propagande au profit de qui que ce soit ou de quoi que ce soit. Nous sommes d'abord et avant tout une entreprise de presse et devons y assumer les impératifs d'une information libre[1].

La crise d'Octobre

Le 5 octobre 1970 a éclaté une des crises politiques les plus importantes de l'histoire du pays. Tout a débuté lorsque James Richard Cross, un diplomate britannique, a été enlevé par le FLQ. Puis, cela a été au tour du ministre Pierre Laporte d'être enlevé le 10 octobre et séquestré jusqu'à ce qu'il soit assassiné par des membres du FLQ. On a retrouvé son corps dans le coffre arrière d'une voiture le 17 octobre, soit au lendemain de l'application de la célèbre Loi sur les mesures de guerre. Jamais on n'avait vécu une situation semblable en temps de paix. Dès le début de la crise d'Octobre, les cellules du FLQ se servaient des médias, particulièrement de certaines stations privées de radio (CKAC et CKLM), pour diffuser le contenu

---

1. Marc Thibault, note de service, 10 mars 1977.

de leurs communiqués. Avec la Loi sur les mesures de guerre, la censure était imposée à tous. Marc Thibault s'en souvenait dans un reportage diffusé vingt ans plus tard :

> Je crois que Radio-Canada a fait un travail considérable de couverture de la crise, d'analyse aussi de la crise. Ne l'a pas fait cependant comme les privés l'ont fait, et pour cause. Pensez à CKAC, qui était à toutes fins pratiques longtemps la courroie de transmission des communiqués du FLQ, jusqu'à ce que la censure intervienne et interdise la diffusion des communiqués du FLQ à moins [qu'elle soit] autorisée par la police[2].

À Radio-Canada, la situation était encore plus complexe, reconnaissait-il : « Je pense que Radio-Canada a évolué dans la crise avec disons plus de, entre guillemets, de modération. »

> **Claude Sauvé (journaliste)** : Parce que vous avez incité le personnel de Radio-Canada à faire preuve de modération ?
>
> **Marc Thibault** : Parce qu'il y a eu une telle réalité que, justement, un effort d'interprétation de la Loi sur les mesures de guerre, un effort d'interprétation qui, à Radio-Canada, a peut-être été poussé et pour cause. Parce que Radio-Canada, entreprise publique, parce que Radio-Canada, équipée d'un contentieux qui jugeait de l'interprétation de cette loi. Et d'un contentieux dont les membres se sont répandus dans les studios de Radio-Canada à tel point que certains journalistes avaient le sentiment que leur information se faisait sous contrôle légal ou juridique[3].

---

2. « Les médias et la crise d'Octobre », *Le Point,* 10 octobre 1990.

3. *Ibid.*

Situation unique, en effet, qui a inquiété au plus haut point les journalistes de Radio-Canada.

En octobre 1970, ceux-ci n'étaient pas les seuls à s'inquiéter de la censure et de l'impact de la Loi sur les mesures de guerre sur leur travail. Le 17 octobre, le directeur du *Devoir*, Claude Ryan, lançait un cri d'alarme dans un éditorial :

> Cette loi confère des pouvoirs si étendus au gouvernement central qu'elle n'a jamais, de mémoire d'homme, été décrétée en temps de paix. C'est la première fois dans toute l'histoire de la Confédération qu'un gouvernement ose invoquer à des fins de paix intérieure une loi aussi extrême[4].

Les interventions de Claude Ryan et son rapprochement avec d'autres personnalités, dont René Lévesque, lui ont valu d'être accusé de fomenter un coup d'État au Québec. Le célèbre journaliste du *Toronto Star*, Peter Newman, a ensuite repris cette accusation et affirmé dans son journal tenir cette information, insistait-il, d'une source de « très haut niveau » à Ottawa.

Pour Radio-Canada, cette crise était sans précédent. L'étanchéité de Radio-Canada, cette saine distance à l'égard du pouvoir politique, a été sérieusement éprouvée par la Loi sur les mesures de guerre et le discours va-t-en-guerre qui l'a accompagnée.

Dans la population du Québec, la mort de Pierre Laporte a mis fin abruptement aux appuis que le FLQ avait récoltés. Jusque-là, des sympathies avouées et non avouées meublaient les conversations. Pour plusieurs, l'action du FLQ était perçue au début comme un beau pied de nez adressé par

---

4. Claude Ryan, « Les mesures de guerre : trois questions », *Le Devoir*, 17 octobre 1970.

de jeunes idéalistes au pouvoir *trop* établi. Certains avaient particulièrement goûté la lecture du manifeste du FLQ par Gaétan Montreuil à l'écran de Radio-Canada. Mais Pierre Laporte assassiné, c'en était trop. À la maison, parents et enfants ne trouvaient plus ça sympathique du tout. Pour une rare fois depuis que l'impudence des enfants les plus âgés s'affirmait dans les conversations familiales, nous étions du même avis que nos parents : « Ça ne se fait pas, tuer quelqu'un ! » concluions-nous en chœur.

Reflet ou propagande

Après la crise d'Octobre, les tensions au sein de la société québécoise et les affrontements entre fédéralistes et indépendantistes ne se sont pas atténués, bien au contraire. À Radio-Canada, le Service de l'information se devait précisément de refléter les différentes opinions de la population à cet égard. C'est en cela que le service public prend tout son sens, le rôle des journalistes étant de rendre compte sans parti pris des débats et des enjeux qui se déroulent sous leurs yeux. Ce rôle, ils le prenaient au sérieux malgré les difficultés, tandis qu'à Ottawa on continuait de voir les choses autrement. On rappelait toujours cette fameuse mission définie dans la Loi sur la radiodiffusion adoptée en 1968 imposant à Radio-Canada de « contribuer au développement de l'unité nationale et d'exprimer la réalité canadienne[5] ».

L'auteur Marc Raboy rapporte qu'au moment de l'adoption de la loi, le débat à la Chambre des communes sur le sens à donner à l'expression « unité nationale » a fait réagir Gérard Pelletier, qui n'était pas à l'aise avec la définition, car cela pou-

---

5.   Extrait de la Loi sur la radiodiffusion de 1968, cité dans la *Politique journalistique de Radio-Canada*, édition 1968.

vait « laisser croire à certaines gens qu'il pouvait s'agir non de promotion, mais de propagande[6] ».

La loi de 1968 a aussi créé un malaise chez les dirigeants de Radio-Canada, comme le montrent plusieurs des textes officiels de l'époque. Dans les ébauches de la politique de programmes de 1971, on cherchait déjà comment interpréter ce mandat. Dans la *Politique journalistique* de 1982, on peut lire que le « Parlement du Canada, par la Loi de 1968 sur la radiodiffusion, a **imposé**[7] à la Société Radio-Canada l'obligation de "contribuer au développement de l'unité nationale et [d']exprimer constamment la réalité canadienne" ».

Cette politique contient plusieurs phrases où Radio-Canada clame son attachement à l'objectivité, mais un paragraphe sur les émissions d'affaires publiques est un exemple de contradiction :

> Les émissions d'affaires publiques doivent refléter le Canada comme nation et évoquer les **avantages** sociaux, économiques, culturels et politiques apportés à chacun d'entre nous, au fil des ans, par l'appartenance à la communauté canadienne. Cependant, les émissions d'affaires publiques doivent également dépeindre les tensions de cette société, décrire les changements proposés dans les structures politiques et constitutionnelles en vue de réduire ces tensions et faire connaître le **coût** et les **conséquences** de ces changements[8].

---

6. Marc Raboy, *Occasions ratées. Histoire de la politique canadienne de radiodiffusion,* Montréal, Liber, 1996, p. 240.

7. Dans une édition datant de 1988, le mot imposé a été remplacé par « décrété ». Je souligne.

8. Radio-Canada, *Politique journalistique,* 1982, p 95. Je souligne.

Il s'agissait d'un véritable casse-tête pour tous les journalistes que de composer avec une telle définition du mandat de Radio-Canada et de prétendre en même temps à l'impartialité, à la neutralité et à l'indépendance journalistique. Tout ça au moment où la société québécoise se polarisait radicalement entre fédéralistes et souverainistes, entre le camp du premier ministre du Canada, Pierre Trudeau, et celui du chef du Parti québécois, René Lévesque.

Le nouveau premier ministre canadien voulait pousser plus loin la « canadianisation » du secteur de la culture et des communications, en partie pour s'opposer à la domination culturelle continentale des États-Unis, mais aussi pour mettre de l'avant sa conception du « nationalisme fédéral » et combattre sans réserve le nationalisme québécois.

Ainsi, quelques mois après son élection à la tête du pays en juin 1968, il avait défini son organisation ministérielle en conséquence, en créant un comité du Cabinet sur la culture et l'information qui serait dirigé par le Secrétariat d'État, l'ancêtre du ministère des Communications, puis plus tard du Patrimoine. Radio-Canada relevait du Secrétariat d'État[9].

On peut comprendre dès lors que Radio-Canada était sous surveillance. Quelques années plus tard, les libéraux iront même jusqu'à proposer le projet de loi n° C-24, dont l'objectif était d'exercer un contrôle plus serré sur les compagnies de la Couronne, dont Radio-Canada.

> [La loi] visait à contrôler les plans de développements et les budgets d'opération [d'exploitation] des compagnies de la Couronne, à instaurer le pouvoir d'imposer des directives politiques, de contrôler via des lois et de désavouer. Plusieurs ministres seniors du Cabinet, dont Jean

---

9. Benoît Lévesque et Jean-Guy Lacroix, « Les libéraux et la culture », p. 119-123.

Chrétien, insistèrent pour que cette loi fût appliquée au Conseil des arts, au Centre national des arts, à la Société de développement de l'industrie cinématographique canadienne (SDICC) et à Radio-Canada, ce qui échoua principalement à cause du tollé de protestations [...] que suscita cette proposition[10].

C'est alors qu'une immense collision identitaire s'est produite au Québec.

Le choc de l'élection du Parti québécois

Le 15 novembre 1976, Radio-Canada présentait les résultats de l'élection québécoise en direct. Lors des soirées électorales à Radio-Canada, le service public retrouvait la vaste majorité des téléspectateurs francophones. Dans ce domaine, Télé-Métropole n'était pas encore dans le coup. Tout le Québec regardait Bernard Derome déclarer : « Radio-Canada, à 8 heures 40 minutes, prévoit que le prochain gouvernement du Québec sera formé par le Parti québécois et que ce gouvernement sera majoritaire. » Cette annonce a été immédiatement suivie d'applaudissements nourris provenant d'une partie du public qui assistait à la soirée dans le studio. Certaines personnes à l'esprit tordu ont toujours tenu à croire que ces applaudissements avaient été ceux des journalistes de Radio-Canada, malgré les explications de la direction.

L'élection du Parti québécois a créé une véritable onde de choc à Ottawa. C'était une victoire électorale pour René Lévesque, mais une défaite personnelle pour Pierre Trudeau. La réplique allait s'avérer cinglante. C'en était trop ! On a

---

10. *Ibid.*

accusé les journalistes de Radio-Canada d'avoir favorisé l'élection du parti de René Lévesque. La chasse aux journalistes séparatistes était ouverte. Le directeur général de l'information, Marc Thibault, a défendu son service bec et ongles contre les accusations du parti au pouvoir à Ottawa.

Le caucus des députés québécois du gouvernement libéral fédéral reprochait précisément à Radio-Canada de n'avoir pas fait la promotion de l'unité canadienne. Ces mêmes députés ont conclu à une confirmation de leurs soupçons lorsqu'une poignée de journalistes de Radio-Canada ont pris la route de Montréal vers Québec pour y devenir des collaborateurs du nouveau gouvernement péquiste. Marc Thibault me confiait en 1990 qu'avec la façon dont ces démissions avaient été perçues dans les milieux politiques et dans la population, sa tâche de grand patron de l'information de Radio-Canada allait devenir encore plus difficile.

Sur le plan politique, le nationalisme québécois qui s'était exprimé lors de l'élection de 1976 se distinguait nettement du nationalisme canadien-français traditionnel, plutôt attaché à l'appartenance canadienne. Chacun s'identifiait désormais à son territoire respectif. Québec ou Canada ? Les premiers rappels à l'ordre du gouvernement canadien à l'égard de Radio-Canada s'inscrivaient donc dans cette collision des particules identitaires des francophones de ce pays. Plus encore, le Service français de Radio-Canada devait-il servir d'abord la population du Canada ou celle du Québec, qui venait d'élire un gouvernement souverainiste ?

Ainsi, le 4 mars 1977, quelques mois après l'élection du Parti québécois, Pierre Elliott Trudeau écrivait au président du CRTC, Harry Boyle, successeur de Pierre Juneau à ce poste, pour qu'il enquête afin d'évaluer si « les réseaux de télévision français et anglais de la Société repliss[aient] leur mandat d'une façon générale et plus particulièrement dans leurs émissions d'affaires publiques et d'information ». Il ajoutait : « Étant donné la gravité de la question, vous conviendrez avec moi, j'en suis sûr, qu'il est impérieux que nous ayons un rapport en main d'ici au 1er juillet[11]. »

En fin de compte, le CRTC a répondu le 20 juillet. Son rapport pointait ce qu'il considérait comme certaines lacunes. Par exemple, Radio-Canada aurait trop centralisé ses activités à Montréal et à Toronto, délaissant du coup les besoins particuliers des régions. Il critiquait le fait que les réseaux anglais et français travaillaient de façon distincte en deux services séparés. Toutefois, la critique principale rejoignait celle du camp fédéraliste : aux yeux du CRTC, la Société Radio-Canada n'avait pas « contribué au développement de l'unité nationale et [avait] donc manqué à cette importante responsabilité[12] ».

Parmi les signataires du rapport se trouvait Jacques Hébert, ami de longue date de Pierre Elliott Trudeau, avec lequel il avait publié *Deux innocents en Chine rouge*[13].

Les auteurs du rapport écrivaient : « Nos correspondants ont accusé plus précisément Radio-Canada de trop parler du Québec et pas assez du rôle des francophones hors Québec. Ils critiquaient également l'accent mis sur la "nation québécoise[14]" dans la publicité, les informations et les com-

11.   Lettre du premier ministre Pierre Trudeau au président du CRTC, 4 mars 1977. Citée dans Conseil de la radiodiffusion et des télécommunications canadiennes (CRTC), *Rapport. Comité d'enquête sur le service national de radiodiffusion*, 20 juillet 1977, p. V.

12.   CRTC, *Rapport. Comité d'enquête sur le service national de radiodiffusion.*

13.   Jacques Hébert et Pierre Elliott Trudeau, *Deux innocents en Chine rouge*, Montréal, Éditions de l'Homme, 2007 [1961].

14.   L'expression « nation québécoise » est mise entre guillemets dans le rapport.

mentaires, de même que la couverture exagérée de l'activité du Parti québécois. »

Malgré tout, le rapport s'achève sur ces mots : « Par ailleurs, le Conseil croit sincèrement que la Société Radio-Canada ne doit rien négliger pour préserver son indépendance en tant qu'organe d'information publique. » Une conclusion peu convaincante.

Néanmoins, le président-directeur général de Radio-Canada de l'époque, A. W. Johnson, pourtant le choix personnel de Pierre Trudeau pour ce poste, a pris la défense des journalistes de Radio-Canada et, ce faisant, de l'indépendance du diffuseur public lors d'une allocution intitulée « Liberté et responsabilité de la presse », dont voici un extrait :

> Les médias seront toujours au banc des accusés et devront perpétuellement justifier leurs activités. Il n'est pas réaliste, en effet, d'envisager qu'un jour les relations des médias avec tous les secteurs de la société seront toujours harmonieuses, car les médias chatouilleront toujours des cordes sensibles en rapportant l'actualité, en reflétant une société dont, reconnaissons-le, nous préférerions parfois qu'on nous dissimule certaines facettes[15].

Les tensions entre les nationalistes canadiens, d'un côté, et les nationalistes québécois, de l'autre, prenaient alors des allures de croisade. Le ton montait. Au centre de ce combat se trouvaient les journalistes de Radio-Canada qui tentaient de refléter ce qui se passait sur le terrain, au sein de la population. Sauf qu'il était bien clair que la pression devenait forte sur les journalistes du service public. À preuve, cette entrevue de l'animateur de CBC Peter Gzowski avec André Ouellet, alors

---

15. Allocution prononcée le 1ᵉʳ décembre 1977 devant les membres de l'Empire Club de Toronto, archives de Radio-Canada.

ministre des Affaires urbaines dans le gouvernement de Pierre Trudeau. Elle a été diffusée à CBC en avril 1977 :

> — Je ne veux pas voir Radio-Canada jouer au funambule et présenter les deux côtés de la médaille comme si elle était une organisation neutre, déclara André Ouellet à Peter Gzowski, à la fin d'avril 1977. Quand le référendum aura lieu, ceux qui travailleront là devraient être claire-ment du côté des pro-Canada.
> — Monsieur Ouellet, est-ce que je devrais utiliser le mot *propagande* ? demanda Gzowski.
> — Eh bien, quand la survie de notre pays est en jeu, je crois que nous ne devrions pas avoir peur des mots.
> — Propagande ? répéta Gzowski, qui visiblement n'en croyait pas ses oreilles.
> — Certainement, en effet, répondit Ouellet[16].

Le ton était donné. La guerre idéologique justifiait tous les moyens. Pour André Ouellet, il y avait bel et bien une guerre et, comme le veut l'histoire, la propagande en pareil temps est répandue. Avec l'arrivée au pouvoir du Parti québé-cois en 1976, tous les coups seraient permis et les membres du gouvernement fédéral se comporteraient alors comme les seuls propriétaires de Radio-Canada. Car ils avaient un pays à sauver.

Ce climat a laissé très longtemps des traces chez le diffu-seur public. Non pas que les journalistes se soient pliés aux exigences de la guerre sainte menée par le gouvernement canadien contre le camp « séparatiste », mais dès qu'ils reven-diquaient leur devoir de refléter rigoureusement tous les courants d'opinion, y compris ceux du « camp ennemi » des

---

16. Graham Fraser, *René Lévesque and the Parti Québécois in Power*, Montréal, McGill-Queen's University Press, 2001, p. 129. Je traduis.

fédéralistes, cela apparaissait suspect aux yeux des prétendus « propriétaires » de la société d'État. Être favorable au reflet de la diversité des opinions de la population, c'était déjà faire une part trop belle au camp souverainiste et cela revenait à trahir le mandat de « contribuer au développement de l'unité nationale ». *A contrario,* le fait que les journalistes de Radio-Canada soient soumis en principe à ce mandat de promotion de l'unité canadienne tel que défini par la loi était perçu par de nombreux militants péquistes comme une preuve de parti pris fédéraliste, d'hostilité envers le camp souverainiste. On retrouverait ce même genre de problème plus tard lors des référendums de 1980, 1992 et 1995.

De fait, même l'impartialité était considérée comme louche, ce qui a fait dire un jour à Marc Thibault :

> Dois-je ajouter que si le devoir de l'impartialité m'inhibait personnellement plus que de raison à Radio-Canada, je lui préférerais simplement mon droit à la liberté ? Car à une information impartiale, je préférerais une information libre, s'il arrivait un jour que l'une s'opposât à l'autre[17].

Pierre C. O'Neil, un directeur parachuté

Pourtant, l'impartialité avait été mise à rude épreuve une année plus tôt. En effet, en mai 1977, la nomination surprise de Pierre C. O'Neil à la direction de l'information-télé[18] avait

---

17. « L'information au réseau français de Radio-Canada », allocution à l'audience du CRTC, le 5 octobre 1978, conclusion du texte.

18. Ce poste incluait les émissions de nouvelles, d'actualités et d'affaires publiques de la télévision. Marc Thibault, qui était directeur général de l'information pour l'ensemble des Services français, demeurait son supérieur.

créé une véritable commotion chez les journalistes. C'est qu'auparavant, en 1972-1974, ce même Pierre C. O'Neil avait été l'attaché de presse du premier ministre Pierre Elliott Trudeau ! Journaliste de carrière, il avait, il est vrai, une bonne réputation dans la profession.

L'homme était plutôt solitaire. Cultivé, affable dans ses relations avec les individus, mais aussi très pointilleux. Dès qu'il prenait quelqu'un en grippe, il pouvait devenir cinglant. Toujours est-il qu'en 1972 il avait choisi de quitter le journalisme pour se rapprocher du pouvoir politique. Il avait d'abord offert ses services au ministre fédéral des Communications, Gérard Pelletier. Ce dernier l'avait embauché dans son équipe. Plusieurs sources racontent que le ministre n'avait pas été fâché de s'en défaire rapidement, parce que ça ne cliquait pas entre eux. Gérard Pelletier avait alors proposé la candidature de Pierre O'Neil à Pierre Trudeau, qui était à la recherche d'un nouvel attaché de presse. Il lui fallait remplacer Roméo Leblanc, nouvellement élu député libéral en octobre 1972. De 1972 à 1974, durant ce mandat où les libéraux formaient un gouvernement minoritaire, Pierre O'Neil avait donc été l'attaché de presse de Pierre Trudeau.

À cet égard, il n'est pas surprenant que sa nomination à Radio-Canada en 1978 ait été perçue comme l'arrivée du loup dans la bergerie. Les journalistes y voyaient une menace à l'indépendance du Service de l'information. L'étanchéité tant recherchée, cette saine distance entre le pouvoir politique et Radio-Canada, en prenait pour son rhume. Le passage rapide de Pierre O'Neil à la direction de l'information-télévision de Radio-Canada prenait l'allure d'une stratégie télécommandée par Ottawa. L'objectif aurait été, selon certains, de surveiller ces journalistes qu'on accusait d'afficher un parti pris dans le débat de l'heure : Québec contre Canada. C'était la solution pour mettre Radio-Canada au pas. Mais s'agissait-il vraiment d'une commande politique ?

Il faut préciser que cette nomination a bel et bien été

l'œuvre du directeur général de l'information, Marc Thibault. C'est lui qui avait contacté Pierre O'Neil, alors à Dakar, au Sénégal, où il dirigeait une école de journalisme (CESTI[19]) depuis près de deux ans. Depuis son départ de l'entourage de Pierre Trudeau, Pierre O'Neil avait cherché à se distancier du monde pour réintégrer le journalisme. Allait-il jamais pouvoir se défaire de son association partisane avec Pierre Trudeau ?

Dans son livre *Manifeste pour le droit à l'information, de la manipulation à la législation,* le journaliste Claude Jean Devirieux est d'avis que la nomination de Pierre O'Neil a été imposée par le gouvernement Trudeau.

> Au Canada en 1978, pour répondre aux accusations d'infiltration par des éléments indépendantistes au sein du Service de l'information de Radio-Canada (accusations qui, après enquête, se sont révélées non fondées), les autorités d'Ottawa ont fait nommer comme chef de service l'ancien attaché de presse du premier ministre canadien Pierre Elliott Trudeau, Pierre O'Neil, journaliste de carrière, dans l'espoir de rendre les bulletins d'information et les émissions d'affaires publiques plus conformes à la politique d'unité nationale, ce qui fut fait. Notons au passage que seuls les journaux de Toronto avaient à l'époque signalé le caractère discutable d'une telle nomination[20].

L'interprétation de Claude Jean Devirieux est partagée par André Payette, animateur-vedette de Radio-Canada

---

19. CESTI : Centre d'études des sciences et techniques de l'information.

20. Claude Jean Devirieux, *Manifeste pour le droit à l'information. De la manipulation à la législation,* Montréal, Presses de l'Université du Québec, 2009, p. 48.

à l'époque. « J'ai toujours pensé que cette nomination avait été imposée par les libéraux. Je ne crois pas que c'était une initiative de Marc Thibault, ça ne lui ressemble pas[21]. » André Payette n'en démord pas : l'embauche de Pierre O'Neil a été dictée à Radio-Canada par le pouvoir politique.

Mario Cardinal[22], un proche collaborateur de Marc Thibault, ne croit pas non plus que le choix de Pierre O'Neil ait vraiment été celui de son patron :

> Marc Thibault s'est tellement battu pour que les nouvelles et les affaires publiques de Radio-Canada restent neutres devant les manipulateurs politiques de toutes sortes que j'ai du mal à croire que, tout à coup, c'est lui qui aurait choisi Pierre O'Neil pour devenir le grand responsable du Service de l'information. J'aurai toujours un doute sérieux à ce sujet[23].

En revanche, une autre interprétation veut que Marc Thibault ait souhaité calmer le caucus des députés québécois de Pierre Trudeau en offrant le poste de directeur de l'information-télé à un fédéraliste reconnu. « Thibault a nommé Pierre O'Neil pour se protéger », croit Réal Barnabé, un proche collaborateur de Marc Thibault en 1977. Selon lui, ce

---

21. André Payette, entretien téléphonique du 24 avril 2014.

22. Mario Cardinal a été chef des nouvelles de 1970 à 1974, principalement à la télévision. Il a aussi travaillé de nombreuses années pour la presse écrite et comme journaliste et réalisateur à Radio-Canada. Il a été ombudsman de Radio-Canada de 1983 à 1989. Il est l'auteur de plusieurs livres, dont *Il ne faut pas toujours croire les journalistes* (Bayard Canada, 2005) et *Point de rupture, Québec/Canada. Le référendum de 1995* (Bayard en collaboration avec la Société Radio-Canada, 2005).

23. Mario Cardinal, entretien téléphonique du 28 avril 2014.

dernier l'aurait nommé pour contrer les multiples attaques dont il était victime de la part du pouvoir politique d'Ottawa. La présence à ses côtés de Pierre O'Neil visait à établir que Radio-Canada n'était pas ce « nid de séparatistes », comme se plaisaient à le répéter les députés libéraux fédéraux. Par contre, Réal Barnabé ajoute : « Il ne faut pas oublier que c'est Gérard Pelletier qui était ministre des Communications quand O'Neil a été nommé. Je vois Pelletier comme un défenseur de l'indépendance de Radio-Canada, pas le contraire[24]. »

Paul Larose, un autre membre de la direction de l'information proche de Marc Thibault, va dans le même sens :

> Comme j'ai connu Marc Thibault, il me semble absolument impensable que Marc Thibault se soit fait imposer cette nomination par Ottawa. Les liens de Pierre O'Neil avec le bureau de Pierre E. Trudeau étaient trop connus pour [qu'on puisse] penser que Marc Thibault n'a pas pris le temps de peser le pour et le contre de cette nomination[25].

La fille de Marc Thibault, Sophie, chef d'antenne à TVA, est du même avis. Elle ne voit pas du tout comment son père aurait pu se laisser imposer une telle nomination. « Ce n'était surtout pas son genre ! Il n'aurait jamais accepté[26]. » Elle ajoute même que son père avait beaucoup de respect pour le journaliste et l'homme qu'était Pierre O'Neil. Certes, selon elle, Marc Thibault était bien conscient de la perception que cette nomination donnait, mais il soutenait que Pierre O'Neil avait de grandes qualités.

---

24. Réal Barnabé, courriel du 29 avril 2014.

25. Paul Larose, courriel du 20 mai 2014.

26. Sophie Thibault, entretien téléphonique du 26 mai 2014.

Jean Giroux réfute, lui aussi, cette thèse. Il a bien connu Pierre O'Neil puisqu'ils ont travaillé tous les deux au CESTI, à Dakar, de 1975 à 1977, puis à Radio-Canada, de 1978 à 1985. À son avis, Marc Thibault a embauché O'Neil afin de contrer la machine libérale, qui n'en finissait plus d'attaquer le Service de l'information de Radio-Canada.

> Pour moi, il n'y a qu'une thèse. Il n'avait pas le choix, c'était la seule façon de freiner la machine libérale qui voulait contrôler Radio-Canada. [...] J'ai de la misère à croire qu'O'Neil aurait pu être imposé. Marc Thibault n'était pas du genre à se faire imposer ses choix. Il a plutôt compris qu'il n'avait pas le choix. [...] Thibault a décidé qu'il n'allait pas mener la bataille inutilement et qu'il allait se servir d'O'Neil comme paratonnerre. Et en plus, nous avions tous un grand respect pour O'Neil, le journaliste[27].

Une chose est certaine, Marc Thibault avait bel et bien besoin d'un paratonnerre pour parer les nombreuses attaques dont il était la cible.

Ainsi, en 1978, il a été appelé à comparaître devant le CRTC afin de « réaffirmer les principes de neutralité journalistique à la veille du référendum de 1980[28] ».

Si les députés libéraux du Québec à Ottawa percevaient Radio-Canada comme un « nid de séparatistes », plusieurs journalistes de Radio-Canada évoquaient plutôt la théorie du complot fédéraliste. Plus tard, dans les années 1990, les tenants de cette théorie ont vu la confirmation de leurs soupçons dans la nomination de Pierre O'Neil, après son

---

27. Jean Giroux, entretien téléphonique, juin 2014.

28. Marc Thibault, *L'Information au réseau français de Radio-Canada*, exposé présenté à Ottawa le 5 octobre 1978, publié par le Service des relations publiques de Radio-Canada, p. 9.

départ de Radio-Canada, au poste de directeur du Centre de recherche et d'information sur le Canada. Il s'agissait d'une création du Conseil pour l'unité canadienne, organisme voué, entre autres, à la promotion des institutions fédérales. On a beaucoup entendu parler de cette organisation lors de la période référendaire de 1995 et à l'occasion de la commission Gomery[29] sur le scandale des commandites.

Alors, choix stratégique de Marc Thibault ou opération télécommandée ? On ne saura probablement jamais le fin mot de cette histoire, les principaux protagonistes ayant emporté leur secret dans la tombe.

Fin de la publicité à la radio

Dans un autre ordre d'idées, la décennie 1970 est aussi celle d'une décision déterminante dans l'histoire de Radio-Canada. En 1974, le CRTC a établi que la radio publique devait mettre fin à la publicité commerciale sur ses ondes. Depuis lors, cette absence de publicité dans la programmation de la radio de Radio-Canada fait partie de son ADN et a contribué à la rendre totalement différente des stations privées. Certains parlent même d'un son « radio-canadien » épargné par les réclames tapageuses. Ce « son » ne s'entend plus qu'à la Première Chaîne, puisque la publicité a refait son apparition sur les chaînes musicales ICI Musique et Radio Two, décision approuvée par le CRTC à la demande du PDG de CBC/Radio-Canada, Hubert T. Lacroix, en 2013.

Malheureusement, la décision du CRTC de 1974 concernant la radio ne s'est pas imposée pour la télévision. Dommage ! L'exercice en aurait valu la peine pour mettre de l'avant

---

29. Commission d'enquête sur le programme de commandites et les activités publicitaires, présidée par le juge John Gomery.

la philosophie qui sous-tend tout le service public. Les dirigeants de la télévision de Radio-Canada auraient peut-être dû insister pour que se tienne ce débat. Ils étaient plus préoccupés par la popularité croissante de Télé-Métropole. Ils ont cru qu'il suffirait de continuer sur leur lancée en jouant le jeu de la compétition et de la performance et ont manqué une occasion de réfléchir en profondeur sur ce qui doit distinguer la télévision publique de la télévision privée. On acceptait difficilement de perdre des téléspectateurs au profit d'un concurrent de plus en plus fort.

Néanmoins, la décennie suivante allait confirmer la puissance de sa rivale, qui prendra toujours un malin plaisir à rappeler ses succès d'audience. En 1973, la Maison de Radio-Canada avait élu domicile dans le même quartier que Télé-Métropole, à quelques pas. Depuis ce temps, on parle du « concurrent d'en face ».

CHAPITRE V

Pierre Trudeau promet du changement

L e soir du 20 mai 1980, Bernard Derome a annoncé : « À 7 heures 55 minutes, la tendance des résultats recueillis depuis quelques minutes par Radio-Canada laisse voir que l'option du "non" remportera le référendum. » Résultat final : 59,56 % pour le « non » et 40,44 % pour le « oui ».

Lors de son dernier discours de la campagne référendaire, le 14 mai, au Centre Paul-Sauvé de Montréal, le premier ministre canadien Pierre Trudeau avait déclaré à tous les Québécois :

Ici, je m'adresse solennellement à tous les Canadiens des autres provinces. Nous mettons nos sièges en jeu, nous, députés du Québec, parce que nous disons aux Québécois de voter « non ». Et nous vous disons à vous, des autres provinces, que nous n'accepterons pas ensuite que ce « non » soit interprété par vous comme une indication que tout va bien, puis que tout peut rester comme c'était auparavant. Nous voulons du changement, nous mettons nos sièges en jeu pour avoir du changement !

Règlement de compte post-référendaire

Ce qui est certain, c'est qu'après le référendum de mai 1980, les sièges des grands patrons du réseau français étaient aussi en jeu. On le voit clairement dans les notes personnelles du vice-président de l'époque, Raymond David, auxquelles des membres de sa famille m'ont donné accès. Je les en remercie au passage.

Voici quelques extraits intéressants tirés de ce « journal » :

> Le 8 août 1980 – Rencontre avec le président [Al Johnson]. Étonné de voir que Marc [Thibault] ne part pas en congé sabbatique en septembre, remplacé par Pierre O'Neil. […]
> 15 janvier 1981 – Le prés. m'autorise à nommer O'Neil adjoint de Marc et engager des pourparlers avec Michel Roy en vue de remplacer O'Neil. […]
> 3 août 1981 – Retour de vacances. Le président a pressé Jacques L. [Landry, adjoint de Raymond David] de nommer O'Neil au plus vite avant septembre « parce qu'on a dit qu'il y aurait des changements ». Je suis censé rappeler Johnson ces jours-ci pour leur faire part de mon action là-dessus[1].

Le président de CBC/Radio-Canada, Albert Wesley Johnson, insistait donc pour que Thibault cède sa place à Pierre O'Neil, « parce qu'on a dit qu'il y aurait des changements ». La seule interprétation logique de cette phrase, c'est que Johnson avait promis au pouvoir politique un changement à la direction de l'information du réseau français.

Selon les informations recueillies, il semble qu'Al John-

---

1. Raymond David, notes personnelles, du 20 mars 1979 au 23 février 1982.

son cherchait en faisant ce geste à obtenir un renouvellement de son propre mandat à la tête de Radio-Canada. Il croyait d'ailleurs avoir de bonnes chances d'y parvenir. Après tout, il connaissait bien Pierre Trudeau qui l'avait lui-même nommé à ce poste. Il était également un ami personnel de Michael Pittfield, greffier du Conseil privé et secrétaire du Cabinet de Pierre Trudeau de 1980 à 1982. Promouvoir la nomination de Pierre O'Neil à la direction générale de l'information faisait partie de son plan.

Cette période correspond à l'époque où la « guerre sainte » entre les fédéralistes et les souverainistes atteignait des sommets inégalés. On apprend également dans les notes de Raymond David que les « changements promis » incluaient son propre départ de la vice-présidence. En haut lieu, on ne l'aimait pas, ni lui ni son ami et collègue Marc Thibault. Dans son journal, Raymond David relate cette phrase lapidaire prononcée par le président de Radio-Canada : « 27 février 1980 – Johnson a dit : *"Do you know very well that they don't trust you, Marc and you ?"* » [Êtes-vous bien conscients qu'ils n'ont aucune confiance en Marc (Thibault) et vous ? »]

Raymond David a été un des dirigeants marquants dans la vie de Radio-Canada. Il a défendu l'indépendance[2] du diffuseur public, mais il a également favorisé l'autonomie des Services français au sein de la société d'État. En 1980, le président de Radio-Canada et des membres du conseil d'administration le pressaient de démissionner, de quitter son poste, ce qu'il a toujours refusé de faire, comme le montre son journal. Ainsi, le 8 août 1980, quelques mois après le référendum, il note que le président Johnson a même trouvé son remplaçant : il s'agit de Pierre Desroches. En apprenant la nouvelle,

---

2.   Raymond David, entrevue sur sa vision de Radio-Canada, le 24 juin 1965, [archives.radio-canada.ca/arts_culture/medias/clips/17288/].

David a répondu au président : « C'est non justifié et injuste après tout ce que j'ai fait pour cette corporation [société] durant les derniers 30 ans. » Il cite ensuite Johnson, qui lui a rétorqué : « Je vous apprécie, je vous admire, c'est difficile pour chacun de nous. » Raymond David dit comprendre que Johnson tienne à opérer un changement avant son propre départ. « Unique raison : il quitte [son poste] dans 2 ans. Mettre une nouvelle direction en place. Un vice-président nouveau établit une nouvelle perspective. »

Pour le président Al Johnson, faire ces changements, c'était la carte maîtresse de sa stratégie pour tenter d'obtenir un renouvellement de mandat à la direction de la société d'État.

Plus loin dans son journal, le 14 octobre 1980, Raymond David précise de façon ferme qu'il n'entend pas démissionner : « Longue conversation avec le prés. Lui dis que je quitterai [mon poste] le lendemain même de mon remplacement, que je ne démissionnerai pas. Il s'agit d'une question de dignité, d'honneur. Que j'ai consulté ma femme, que j'irai me chercher une autre job. *It's your decision, but it's my life.* » [« C'est votre décision, mais c'est ma vie. »]

Le climat est tendu entre les deux hommes, comme en fait foi cette autre note :

13 nov. 1980 – Conversations téléphoniques. Prés., Marc [Thibault], Pierre [Desroches] et moi : en prévision de la sortie de l'article de Vastel, je demande au président, si on me demande « Vous a-t-on demandé de quitter Radio-Canada ? », qu'est-ce que je réponds ? non ? Il me dit : « C'est ce que je vais dire aussi. » Les silences étaient lourds.

L'article de Michel Vastel a été publié le 15 novembre 1980. Un bruit courait au sujet d'une tentative de limogeage à la direction des Services français de Radio-Canada.

Les conversations téléphoniques visaient donc à prévenir l'impact des révélations possibles de Vastel.

Le 6 janvier 1981, Raymond David décrit le contexte politique qui régnait durant cette période et qui laissait place à toutes sortes de rumeurs :

> Marc [Thibault] me dit que O'Neil a eu de Michel Roy[3] la confidence suivante : un haut placé dans le Parti libéral lui a dit que le président me liquiderait entre février et avril cette année.

Par contre, aucun départ ni nomination ne seront annoncés avant une autre année. En effet, ce n'est que le 29 janvier 1982 que Raymond David écrit :

> J'avertis mes collaborateurs que je quitte [mon poste] le 1er avril. Retraite 1er juillet, après entente avec le président. Je lui souligne qu'il ne doit pas tarder de nommer Pierre [Desroches] – au plus 15 jours. Il trouve que, à ma place, il prendrait sa retraite.

Mais son départ est encore retardé. Le 23 février 1982, Raymond David y va de son explication de la situation :

> Pas encore de nomination. Pittfield[4] (dit avoir parlé à Fox) et Durand proposent d'attendre à la fin de mars pour nommer quelqu'un. Ça sent la politique et ça éclaire bien des choses.

---

3. Michel Roy était le directeur suppléant du journal *Le Devoir* à cette époque.

4. Francis Fox était alors ministre des Communications.

Cette dernière note de l'ancien vice-président de Radio-Canada traduit très bien les tensions auxquelles les dirigeants de Radio-Canada ont fait face à cette époque. La notion d'étanchéité de Radio-Canada à l'égard du pouvoir politique à Ottawa semblait avoir du plomb dans l'aile en ces années tumultueuses.

En 1982, le président de Radio-Canada Al Johnson n'a finalement pas obtenu de renouvellement de mandat. Il a cru pendant un certain temps que les changements effectués démontraient qu'il avait la situation bien en main, qu'il était le candidat du changement… Mais ses efforts sont restés vains. Le vrai candidat du changement aux yeux du gouvernement Trudeau était choisi. C'était Pierre Juneau, un ami intime de Pierre Trudeau qui était déjà sous-ministre des Communications sous Francis Fox. Pierre Juneau est devenu le nouveau président-directeur général de CBC/Radio-Canada. « Il voulait occuper cette fonction. Il l'obtiendra au terme d'un lunch privé avec Pierre Trudeau », m'a précisé Francis Fox lors d'une rencontre que j'ai sollicitée en vue de la rédaction de cet ouvrage[5].

De leur côté, les deux collègues et amis Raymond David et Marc Thibault ont eux aussi quitté Radio-Canada en 1982. Pierre O'Neil, lui, est devenu directeur général du service de l'information, poste qu'il a occupé jusqu'en 1991. Voilà les vrais changements qui comptaient à cette époque. Quant à l'ancien ministre des Communications, Francis Fox, il se défend de s'être ingéré dans les affaires de Radio-Canada durant la présidence d'Al Johnson. « Il [Johnson] n'était pas le genre à se laisser influencer. C'était l'homme de Trudeau[6]. »

---

5. Francis Fox, entrevue du 11 septembre 2014.

6. *Ibid.*

Les notes de Raymond David ont pourtant le mérite de nous montrer qu'il y a bel et bien eu des pressions politiques, mais d'où provenaient-elles ? Le *pouvoir* politique était loin de se contenter de nommer le PDG de CBC/Radio-Canada et les membres de son conseil d'administration, comme le prévoit la loi. Les interventions politiques dans les choix des dirigeants de la Société peuvent aller bien au-delà. L'histoire allait se répéter trente ans plus tard.

Une tentative de putsch venue de journalistes d'Ottawa ?

Les importants lendemains du référendum allaient en fait durer plusieurs années et la guerre des nationalismes était loin d'être terminée. Le difficile exercice de pratiquer le journalisme à Radio-Canada non plus.

Après la défaite de l'option du « oui », René Lévesque a quand même repris le pouvoir à Québec lors des élections du 13 avril 1981, un peu comme si les Québécois avaient voulu se doter d'une police d'assurance en prévision de la grande ronde des négociations constitutionnelles qui s'amorçait.

Le Parti québécois a remporté 80 sièges, contre 42 pour le Parti libéral dirigé par Claude Ryan. Un absent en cette soirée électorale : Bernard Derome. Pour une rare fois, il n'était pas à son rendez-vous habituel à la télévision. Il n'existe d'ailleurs aucunes archives de cette soirée électorale, car les journalistes du Service des nouvelles étaient en grève depuis le 30 octobre 1980. Cette grève, qui s'est poursuivie jusqu'au 29 juin 1981, a laissé des traces chez les journalistes des salles de nouvelles. Elle avait été déclenchée parce que les journalistes syndiqués à la Confédération des syndicats nationaux (CSN) souhaitaient bénéficier des meilleures conditions de travail en vigueur dans quelques grands médias québécois et dans la fonction publique du Québec. Certains gains réalisés grâce à cette grève, comme les congés de maternité et des vacances un peu plus avantageuses, ont par la suite été appliqués à toute la fonction publique fédérale.

Les syndiqués avaient aussi des demandes au chapitre de la juridiction. Ils tentaient de limiter le pouvoir patronal dans les décisions éditoriales. Ils souhaitaient exercer sur le contenu des nouvelles autant de pouvoir que les réalisateurs en avaient sur celui des émissions. C'est cette revendication qui a fait le plus de bruit dans les médias et contribué à donner au conflit une image de lutte pour la liberté de l'information.

En lisant les notes de Raymond David, on voit combien la position des dirigeants du réseau français était fragile pendant cette grève, et il est clair qu'à l'époque, la grande majorité des journalistes n'en avaient aucunement conscience.

Pour couronner le tout, pendant que ses collègues de Montréal étaient en grève, le journaliste Paul Racine, chef du bureau parlementaire de Radio-Canada à Ottawa et membre d'une autre unité syndicale, travaillait avec beaucoup d'énergie. Pas seulement en ondes, mais aussi en coulisse. En effet, Paul Racine a été soupçonné d'être à l'origine d'une tentative de putsch contre la haute direction de Radio-Canada, dont son directeur général de l'information, Marc Thibault.

Mais Paul Racine s'en défend :

> Ben voyons donc ! Ben voyons donc ! La vérité, c'est que, oui, j'étais vraiment en chicane avec la direction de Radio-Canada et je l'ai dit publiquement. Une longue querelle, je ne m'en suis jamais caché. Alors, on me l'a reproché. Les histoires de putsch, ça relevait de la paranoïa de la direction de l'époque. Mais il n'y a pas eu de substance de putsch. Il n'y a eu que des critiques ouvertes et publiques[7].

---

7. Paul Racine, entretien téléphonique du 18 juin 2014.

Paul Racine et quelques collègues du bureau de Radio-Canada à Ottawa ne se gênaient pas en effet pour critiquer ouvertement ce qu'ils considéraient comme une absence de leadership de leur direction qui hésitait à améliorer l'équipement du réseau français et à moderniser la couverture de l'actualité politique de Radio-Canada.

> Un jour, poursuit Paul Racine, j'ai reçu un appel de Pierre O'Neil, paniqué parce que le réseau français, contrairement au réseau anglais, n'était pas organisé adéquatement. La télédiffusion des travaux à la Chambre des communes allait débuter sous peu et on n'était même pas prêts[8] !

Plusieurs journalistes avaient des rapports difficiles avec la direction du Service de l'information et la défiaient à l'occasion. Le conflit des journalistes syndiqués à la CSN traduisait à sa manière cet état d'esprit. Mais qu'en était-il de cette prétendue tentative de putsch ? Conflit générationnel pour certains, critiques justifiées devant le retard réel du réseau français, ambitions personnelles ou encore complicité coupable avec le pouvoir politique libéral pour d'autres. On reprochait surtout à Marc Thibault son style de gestion. Et les ambitions de certains ne souffraient d'aucun scrupule. « Nous, on était jeunes et ambitieux, dit Paul Racine. On se comparait à nos collègues de CBC et on constatait le retard[9]. »

En tant que correspondant parlementaire de Radio-Canada, Paul Racine avait ses entrées à Ottawa, et pas n'importe lesquelles. Comme tout bon journaliste au Parlement, il y avait développé de très bonnes relations avec plusieurs députés libéraux, dont Robert Gourd, le député d'Argenteuil

---

8. *Ibid.*

9. Paul Racine, entretien téléphonique du 19 juin 2014.

qui présidait le Comité permanent des communications et de la culture au Parlement, et le ministre des Communications, Francis Fox. On a accusé Racine d'être de connivence avec les députés libéraux qui avaient sonné la charge contre Marc Thibault, le directeur du Service de l'information.

En novembre 1980, en pleine grève des journalistes, les députés libéraux Robert Gourd, Jacques Olivier et Serge Joyal, du Comité parlementaire des communications et de la culture, avaient même convoqué Marc Thibault à comparaître et l'avaient fortement critiqué. Ils avaient en main plusieurs mémos internes du Service de l'information et les citaient abondamment. On a raconté que tous ces mémos leur avaient été remis par les présumés putschistes.

Paul Racine se défend aussi de cela.

> Robert Gourd et les autres députés n'ont fait que répéter ce que moi et mes collègues-journalistes discutions à notre table du restaurant du Press Club à Ottawa. Ils ont pu nous entendre. On parlait à tous les hommes politiques. Quant à Francis Fox, je le rencontrais, oui, lui aussi, au Press Club. Ce n'était pas un ami, mais une connaissance. Et le connaissant, je peux vous dire que Fox n'était pas un ministre à orchestrer des putschs[10].

Au même moment, le ministre Francis Fox déclarait qu'il fallait faire une analyse en profondeur du secteur de l'information aux Services français de Radio-Canada. La coïncidence de toutes ces actions donnait une impression de coup monté. Plusieurs journalistes ont écrit des articles de presse à ce sujet en novembre 1980.

Malgré la pression politique, Marc Thibault est resté sur ses positions. Pour lui, il n'était pas question de céder aux

---

10. Paul Racine, entretien téléphonique du 18 juin 2014.

tentatives d'ingérence politique dans la direction de son Service de l'information. Les journalistes en grève avaient certes formulé des reproches sérieux au patron de l'information, notamment en critiquant son attitude en matière de relations de travail. En revanche, peu d'entre eux souscrivaient à l'idée de s'allier au pouvoir politique pour obtenir sa tête, ce qui ne dissuadait en rien Paul Racine.

Quant à Francis Fox, il nie avoir pris part à une telle tentative de putsch[11]. Bien entendu, il écoutait avec grand intérêt les doléances des journalistes de Radio-Canada comme Paul Racine. Ceux-ci ont pu interpréter cet accueil très intéressé et bienveillant comme un appui. Il reste que les critiques ouvertes et publiques donnaient d'abondantes munitions aux députés fédéraux, qui s'en servaient contre la direction du Service de l'information.

Il est vrai que Marc Thibault défendait avec beaucoup d'insistance l'indépendance de Radio-Canada et de son Service de l'information. Ce n'est pas surprenant. L'homme avait des principes et, surtout, il n'était pas servile. Sa fille Sophie se rappelle de conversations à la maison où il parlait avec conviction de sa résistance aux attaques et de ce principe d'indépendance du Service de l'information. « Malgré toutes les attaques et les pressions, dit-elle, mon père a toujours défendu ses journalistes avec conviction[12]. »

Le 15 novembre 1980, Marc Laurendeau, alors journaliste-collaborateur à *La Presse,* écrivait à propos de cette prétendue tentative de putsch :

> M. Marc Thibault s'est très souvent tenu debout devant le CRTC, et cela avec une inflexibilité admirable, pour protéger la liberté d'information des journalistes contre les

---

11. Francis Fox, entrevue du 11 septembre 2014.

12. Sophie Thibault, entretien téléphonique du 26 mai 2014.

interventions délirantes de certains commissaires du CRTC. Ceux qui intriguent pour le mettre dans l'eau bouillante ou obtenir son remplacement pourraient se retrouver (c'est d'ailleurs l'hypothèse la plus vraisemblable, selon les noms avancés) avec un directeur de l'information beaucoup plus servile et soumis aux réactions vengeresses des députés fédéraux[13].

De son côté, la journaliste Louise Cousineau avait à l'époque directement confronté Paul Racine. Le titre de sa chronique était : « Paul Racine nie être putschiste ». Ce dernier lui affirmait ne pas avoir prédit mais souhaité que « les têtes des boss à l'information de Radio-Canada rouleraient d'ici Noël[14] ».

Aujourd'hui, Paul Racine se souvient très bien de cette entrevue, car elle a été déterminante pour la suite de sa carrière : « Il est vrai qu'on voulait que ça bouge, explique-t-il. Ça faisait des années que les jeunes journalistes – moi, François Perrault, Normand Lester[15] –, on souhaitait moderniser Radio-Canada[16]. »

Selon plusieurs témoignages de collègues auxquels il avait fait des confidences à l'époque, Paul Racine était convaincu qu'il pouvait diriger le Service de l'information de Radio-Canada et faire bien mieux que Marc Thibault et son équipe.

---

13. Marc Laurendeau, « Les journalistes de Radio-Canada. La grève prend de l'ampleur mais sans encore secouer la torpeur », *La Presse*, 15 novembre 1980.

14. Louise Cousineau, « Paul Racine nie être putschiste », *La Presse*, 27 novembre 1980.

15. Deux autres correspondants en poste à Ottawa à l'époque.

16. Paul Racine, entretien téléphonique du 19 juin.

À l'époque, le journaliste Réal Barnabé était inter-
viewer à l'émission *Ce soir*, qui était toujours en ondes malgré la grève des journalistes des nouvelles à cause d'une
appartenance syndicale différente. Son travail l'amenait à se
rendre souvent à Ottawa, où il croisait Paul Racine :

> Quelques jours avant l'intervention de [Marc] Thibault,
> Paul [Racine] m'a dit que sa nomination à Montréal était
> imminente. Je crois même me souvenir qu'il se voyait vice-
> président des Services français avec François [Perrault]
> comme directeur général de l'information[17].

Mal lui en a pris. Déjà fragilisé par le conflit de travail des
journalistes à Montréal, Marc Thibault se devait de réagir vite.
Lorsqu'il a su ce qui se tramait, il a convoqué Paul Racine à
une rencontre « disciplinaire » à Montréal. Marc Thibault
considérait que c'était son devoir de protéger l'indépendance
de son service vis-à-vis de l'influence du pouvoir politique.
Paul Racine ne s'est pas défilé face aux accusations. Il a
reconnu avoir dit ce que Louise Cousineau avait écrit dans *La
Presse*. Il avait en effet la conviction que la direction de l'information n'était pas à la hauteur des nouveaux défis, plus particulièrement ceux que posait l'arrivée des nouvelles
méthodes de production en télévision. Paul Racine a démissionné en décembre 1980.

> À la rencontre, raconte-t-il, il y avait O'Neil, Marc Thi-
> bault et quelqu'un des ressources humaines. J'ai négocié
> mon départ, et démissionner ne me faisait pas perdre mes
> avantages accumulés [retraite] comme employé de Radio-
> Canada[18].

---

17. Réal Barnabé, courriel du 26 avril 2014.

18. Paul Racine, entretien téléphonique du 19 juin 2014.

Il a quitté Radio-Canada et, dix-huit mois plus tard, le ministre Francis Fox l'invitait à se joindre au ministère des Communications, ministère responsable entre autres de… Radio-Canada. « C'est moi qui l'ai recruté après son départ de Radio-Canada. Je ne l'ai jamais regretté. Il a fait un bon job au ministère même après notre défaite aux mains des conservateurs en 1984[19] », souligne Francis Fox.

Les discussions entourant la démission de Paul Racine sont relatées par le vice-président Raymond David dans ses notes personnelles. Il semble même avoir utilisé cette « affaire de putsch » dans ses propres négociations avec le président de Radio-Canada. Raymond David écrit :

> 25 novembre 1980 – Déjeuner au Ritz avec le prés. Me demande encore de quitter mon poste. Me parle de v.-p., relations internationales. Je lui dis qu'étant donné toute l'affaire du putsch, personne n'y croira, que lui-même sera jugé comme s'étant soumis aux désirs des politiciens. Je lui dis « *Why are you so stubborn ?* » [« Pourquoi êtes-vous si entêté ? »] Déjeuner difficile. Il a devant lui l'éditorial de Michel Roy. Il me dit : « Il m'a coincé. » Il me dit que je le paralyse, qu'il ne peut bouger et retrouver un remplaçant. Mêmes conversations que les précédentes fois.

L'éditorial de Michel Roy dont il est question est publié dans *Le Devoir* du 26 novembre 1980[20]. Il dénonce vertement cette tentative de putsch contre la direction des Services français de Radio-Canada :

---

19. Francis Fox, entrevue du 11 septembre 2014.

20. Ici, il est impossible de dire s'il y a une erreur de date dans le journal de Raymond David ou si le président Johnson avait obtenu une copie de l'éditorial une journée avant sa publication.

Ces réformistes ont en effet organisé la collusion avec la classe politique, convaincus que l'intervention opportune des hommes de pouvoir suffirait à déclencher le processus des changements souhaités. [...] N'insistons pas sur le caractère ignoble du procédé qui pousse des journalistes à grenouiller de la sorte. Ce scénario d'opérette ferait sourire s'il ne comportait pas la menace d'un très grave danger, c'est-à-dire l'avènement du règne de l'arbitraire dans un domaine où le pouvoir – on l'a vu dans d'autres pays – résisterait mal à la tentation d'asservir l'information en la confiant à des hommes dévoués[21].

Un peu plus loin, Michel Roy ajoute ces quelques mots sur le président Johnson qui expliquent probablement pourquoi ce dernier s'est « senti coincé » : « M. Al Johnson, d'ordinaire bavard quand il s'agit de défendre ses cadres supérieurs, a observé un mutisme complet dans cette affaire qui se déroule presque sous sa fenêtre[22]. »

Si l'on en croit les notes personnelles de Raymond David, ces rumeurs de putsch le serviront pour obtenir un sursis à son propre départ souhaité par le président de Radio-Canada. « 2 déc. 1980 – Tergiversations sans fin sur Racine. Michèle Lasnier[23] me dit que le 25 octobre, Jeanne Sauvé[24] la consultait sur le genre de personnes qui devaient me remplacer. »

---

21. Michel Roy, « Black-out à Radio-Canada » (éditorial), *Le Devoir*, 26 novembre 1980.

22. *Ibid.*

23. Michèle Lasnier était animatrice à Radio-Canada. C'était une ex-collègue de Jeanne Sauvé lorsque celle-ci travaillait à Radio-Canada.

24. Jeanne Sauvé avait été ministre des Communications de décembre 1975 à juin 1979. Au moment de la rédaction de cette note, elle était présidente de la Chambre des communes.

Plus loin dans ses notes, Raymond David écrit sur la conclusion de cette affaire de putsch associée à Paul Racine : « 19 déc. 1980 – Démission de Racine. Obtenue par des tractations secrètes du président. Il nous dit que Fox n'est pas dans le coup, c.-à-d. qu'il ne leur a pas parlé. »

On ne saura jamais à quelles tractations secrètes Raymond David fait référence. Le principal intéressé, Paul Racine n'a eu que les commentaires suivants :

> Les journalistes à Montréal étaient en grève depuis quelques mois déjà, on perdait la moitié de nos salaires, faute de travail à Ottawa, le climat était vraiment malsain. J'ai décidé de quitter [Radio-Canada] et d'aller travailler ailleurs. […] Cette direction croyait à la théorie du putsch. Al Johnson était un ami de Pittfield. Marc Thibault et Raymond David croyaient, eux aussi, à la théorie du putsch[25].

Avec le recul, une seule conclusion s'impose : l'indépendance d'un service de radiodiffusion public est toujours fragile. Pour la préserver, il est essentiel que non seulement les membres de la direction, mais aussi les journalistes, comprennent qu'ils doivent sans cesse se tenir à distance du pouvoir politique.

La consécration de Pierre O'Neil

Quant à Marc Thibault, il est resté en poste jusqu'au 1er septembre 1981. De guerre lasse, mais surtout, m'ont confié ses proches, parce qu'il tenait à consacrer plus de temps à son épouse atteinte de sclérose en plaques, il s'est retiré complète-

---

25. Paul Racine, entretien téléphonique du 20 juin 2014.

ment en 1982, comme son fidèle ami et patron, Raymond David. C'était la fin d'une époque marquante à Radio-Canada.

Marc Thibault était-il dépassé ? C'était certainement un conflit de générations, explique Paul Racine, mais également un conflit de visions par rapport aux enjeux de la télévision, ce que ne semblait pas comprendre la direction, associée à la « vieille école », conclut-il.

Il reste que Marc Thibault a laissé une immense empreinte à Radio-Canada : une grande culture journalistique, une déontologie forte et, surtout, la défense constante de l'indépendance du service public et de l'étanchéité nécessaire entre la société d'État et le pouvoir politique. Ces principes, les journalistes des générations suivantes s'en sont emparés comme d'un bouclier contre ceux qui s'attaquent au Service de l'information. C'est l'héritage de Marc Thibault[26].

Le 14 septembre suivant (1981), Radio-Canada annonçait la nomination de son successeur. Pierre O'Neil devenait directeur général de l'ensemble du Service de l'information (radio et télévision). Une nouvelle ère s'amorçait.

Durant tout son « règne », l'étiquette d'« ancien attaché de presse de Pierre Trudeau » lui a collé à la peau. Il s'est toujours défendu auprès de ses collègues-cadres d'avoir été nommé avec un mandat politique. Plusieurs se rappellent qu'il affirmait ne pas être en mission commandée. Et il ajoutait : on peut très certainement être journaliste, fédéraliste et défendre l'impartialité et l'indépendance de Radio-Canada.

On peut se demander s'il aurait trouvé tout aussi acceptable qu'un journaliste souverainiste occupe son poste.

Soyons clair ici : il est évident que les journalistes et les cadres de l'information ne sont pas des personnages désincar-

---

26. Marc Thibault a par la suite présidé le Conseil de presse du Québec de 1987 à 1991.

nés. La neutralité journalistique n'a jamais voulu dire que les journalistes n'ont pas le droit d'avoir des opinions politiques personnelles. J'ai toujours pensé qu'il importe peu qu'un directeur de l'information œuvrant dans le service public soit fédéraliste ou indépendantiste, de gauche ou de droite. Ce qui importe, c'est qu'il soit journaliste, que « son jupon ne dépasse pas », comme on dit dans notre métier. À mon avis, la plus grande qualité d'un journaliste est le doute ; il doit pouvoir douter de tout. Et j'ajoute : y compris de lui-même. L'obsession d'un diffuseur public, ce doit être la diversité des opinions.

Ce qui est en cause ici, c'est la proximité avec le pouvoir politique. En conversant régulièrement avec d'anciens collègues politiciens qui ne pouvaient que tenter de l'influencer, le patron de l'information se rendait vulnérable à leur influence. Nous y reviendrons.

Comment ont réagi les journalistes de Radio-Canada à l'arrivée de ce nouveau directeur général de l'information ? Madeleine Poulin a bien connu Pierre O'Neil. Il a été son patron alors qu'elle était correspondante parlementaire à Ottawa, correspondante à Paris, puis animatrice à Radio-Canada, notamment des émissions *Le Point* et *Le Point médias.*

Les journalistes étaient nombreux à percevoir sa nomination comme celle d'un « surveillant » du Service de l'information mandaté par Pierre Trudeau. Au début, je trouvais cette réaction un peu « parano », mais avec le temps j'ai dû constater que Pierre O'Neil se comportait véritablement comme le gardien d'une orthodoxie. Et plus précisément, d'une orthodoxie menacée par les journalistes qu'il devait diriger. Durant toute la période où il a été en poste, le service était sous sa surveillance stricte, active, et surtout perpétuellement inquiète. Pierre O'Neil se méfiait des journalistes. Dans ce climat frileux, les journalistes, au-delà de leur devoir d'impartialité, se voyaient imposer un devoir d'extrême réserve en toutes circonstances. Après son départ, l'ambiance s'est graduellement détendue[27].

J'ai travaillé avec Madeleine Poulin comme réalisateur à l'émission *Le Point* de 1986 à 1992. Je peux confirmer ses propos. Nous avions l'impression d'être toujours surveillés. Même en réunion quotidienne de production, là où on discute de choix de sujets et d'invités, nous sentions que le moindre commentaire éditorial risquait d'être mal interprété par nos patrons. Nous étions toujours sur nos gardes.

Je ne veux pas dire ici qu'il serait souhaitable que les journalistes expriment librement leurs opinions politiques au travail. Au contraire, je crois que la réserve rend plus facile l'exercice de l'impartialité, donne un meilleur accès aux sources et permet une plus grande liberté journalistique. Néanmoins, une trop grande prudence peut paralyser.

---

27. Madeleine Poulin, courriel du 12 juin 2014.

CHAPITRE VI

1984 – Marcel Masse et Pierre Juneau

Avant l'arrivée au pouvoir des conservateurs en septembre 1984, le ministre Francis Fox avait déposé un nouveau document d'orientation sur Radio-Canada, *Bâtir l'avenir : vers une Société Radio-Canada distincte*[1]. « On n'a pas assez retenu que ce texte était un plaidoyer et un engagement sans équivoque à l'égard de Radio-Canada », souligne Francis Fox[2].

Tout en insistant pour que « Radio-Canada dispense un service qui se démarque très nettement de celui des télédiffuseurs privés », le document mettait également l'accent sur la commercialisation. Certains y ont vu une contradiction.

« Afin que Radio-Canada complète l'affectation budgétaire que lui vote le Parlement, le gouvernement est d'avis que la Société devrait commercialiser vigoureusement ses émissions[3]... » Enfin, on soulignait encore avec force le rôle de Radio-Canada vis-à-vis de l'unité nationale :

---

1.   Francis Fox, *Bâtir l'avenir : vers une Société Radio-Canada distincte*, Ottawa, ministère des Communications, gouvernement du Canada, octobre 1983.

2.   Francis Fox, entrevue du 11 septembre 2014.

3.   Francis Fox, *Bâtir l'avenir*.

Son mandat stipule qu'elle doit « contribuer au développement de l'unité nationale ». Autrement dit, elle doit œuvrer systématiquement à l'édification d'un Canada fort et uni, libre de se fixer lui-même ses objectifs, tout en pratiquant un journalisme répondant aux plus hautes normes professionnelles[4].

Les journalistes de Radio-Canada ont bien saisi l'importante contradiction. En effet, le libellé les liait à l'édification d'un Canada fort et uni. Par conséquent, on persévérait à maintenir cette contrainte qui rendait très difficile la pratique d'un journalisme impartial dans une société aussi divisée que celle du Québec. Encore aujourd'hui, Francis Fox se défend d'avoir voulu favoriser ainsi une opération de propagande : « On voulait faire la promotion des valeurs canadiennes. Notre intention n'était pas de faire de la propagande. » Dans ces valeurs figuraient précisément la pratique d'un journalisme de qualité répondant aux plus hautes normes professionnelles et l'indépendance totale des personnes travaillant à l'information, souligne-t-il. « On a mal compris ce document. Je peux comprendre l'inconfort des journalistes. Même l'ancien président Al Johnson m'a fait savoir, après avoir quitté son poste, son désaccord avec ce libellé de mandat. » Francis Fox souligne par ailleurs que sa nouvelle politique avait le mérite de bien saisir les enjeux de l'époque : « Il fallait mettre les câblodiffuseurs au centre du nouveau système de diffusion. Nous l'avons fait. Il fallait favoriser le développement de producteurs privés en complément à ce que Radio-Canada produisait. Nous l'avons fait, ce qui a mené à la mise sur pied d'une véritable industrie de production télé et de cinéma sans pareil, à Montréal[5]. »

---

4. *Ibid.*, « Rôle vis-à-vis de l'unité nationale » (point 4).

5. Francis Fox, entrevue du 11 septembre 2014.

L'arrivée de Pierre Juneau

Les personnages issus de la mouvance libérale ont beaucoup pesé au sein de Radio-Canada. Et plusieurs s'en sont plaints.

Ainsi en 1982, la nomination de Pierre Juneau comme président-directeur général de Radio-Canada avait de quoi alimenter les accusations de partisanerie, tant chez les souverainistes que chez les conservateurs.

En effet, Pierre Juneau était un fédéraliste reconnu, candidat du Parti libéral défait en 1975 dans la circonscription d'Hochelaga. Il avait même été ministre des Communications sans être élu, quelque temps après le départ de son ami Gérard Pelletier, nommé ambassadeur du Canada à Paris. Pierre Juneau avait aussi été à l'origine de la revue *Cité Libre* avec Gérard Pelletier et Pierre Elliott Trudeau.

En revanche, il n'avait pas le profil d'un simple partisan. En effet, il avait travaillé pendant dix-sept ans à l'Office national du film. Il était un grand défenseur de la culture des francophones. Il a aussi laissé sa marque comme premier président du CRTC (1968-1975). Ainsi, c'est à lui qu'on doit certaines mesures réglementaires visant à protéger la propriété canadienne des médias. L'imposition de quotas de contenus canadiens dans toutes les radios et télévisions du Canada vient également de lui. Aussi, lorsqu'il a été nommé PDG de CBC/Radio-Canada, on pouvait difficilement contester sa compétence. « Pierre Juneau incarne la figure du défenseur du service public, de l'État[6] », dira de lui Florian Sauvageau, professeur émérite de journalisme à l'Université Laval et directeur du Centre d'études sur les médias.

Au moment de l'arrivée au pouvoir du Parti progressiste-conservateur de Brian Mulroney en septembre 1984, plusieurs ont cru que les jours de Pierre Juneau à la direction

---

6. Florian Sauvageau, entrevue au moment du décès de Pierre Juneau, archives de Radio-Canada, 21 février 2012.

de la Société Radio-Canada étaient comptés. Celui-ci avait d'ailleurs laissé courir la rumeur selon laquelle il refuserait de démissionner avant la fin de son mandat si on le lui demandait, au nom de l'indépendance de Radio-Canada vis-à-vis du pouvoir politique. Une question de principe tout à fait légitime.

En 1984, c'est Marcel Masse qui a été nommé ministre des Communications dans le premier Cabinet de Brian Mulroney. Il se défend d'avoir fait de telles pressions sur Pierre Juneau. Voici quelques extraits d'un entretien qu'il m'a accordé le 3 juin 2014.

> — Après l'élection de l'automne 1984, j'ai d'abord pris connaissance des dossiers de mon ministère. Ensuite, comme ministre, j'ai rencontré à plusieurs reprises M. Juneau, au moins une fois par mois.
> — Vos relations étaient bonnes ?
> — Excellentes, j'insiste, excellentes. Indépendamment de ce qui se disait dans les journaux. Vous savez, le milieu culturel se sent toujours attaqué. Radio-Canada se sent toujours attaquée. Et en ce qui concerne ma relation avec Juneau : c'était un gentleman, Juneau ! Aucun problème entre nous. Mais comment tu arrêtes ça, les rumeurs ? Tu n'es pas pour convoquer une conférence de presse et te prendre par le cou. Mais ceci étant dit, il y a toujours des resserrements budgétaires à gauche et à droite. Par contre, là où on a eu des discussions, lui et moi, c'est sur Radio-Canada et son mandat.

La grande bataille de Marcel Masse

Selon Marcel Masse, le vrai défi de Radio-Canada en 1984 était la définition du mandat et de la vocation du diffuseur public. L'ancien ministre reconnaît qu'à ce sujet il existait alors des divergences de vues entre Pierre Juneau et lui, mais jamais au point d'exiger sa démission. Le président de la société d'État insistait pour définir le mandat de celle-ci selon la formule publicitaire consacrée : « Radio-Canada. Tout pour tous. » Or Marcel Masse n'était pas d'accord avec une telle interprétation. À son avis, ce n'était qu'une façade pour cacher la motivation qui animait perpétuellement la direction de Radio-Canada : rechercher de bons résultats d'audience, être populaire et donc calquer ce que faisaient les télévisions privées. « On m'a accusé d'être élitiste, dit Marcel Masse. Ce n'est pas ça ! Notre rôle, c'est de tirer le public vers le haut. Ce n'est pas en faisant comme les autres qu'on réussit à aller vers le haut. »

Le ministre conservateur posait constamment la question :

Pourquoi n'y avait-il plus de téléthéâtres, plus de concerts à Radio-Canada ? Évidemment, je ne pouvais pas intervenir dans la programmation, par respect pour l'indépendance de la société d'État. Mais, en même temps, j'aurais tellement voulu que Radio-Canada se distingue par sa programmation culturelle.

C'est sur ces thèmes qu'il y avait des désaccords avec la direction de Radio-Canada, résume Marcel Masse.

Je [disais à Pierre Juneau] qu'il y avait trop d'information et pas assez de culture à Radio-Canada. Est-ce un instrument de production et de diffusion de la culture ou un instrument d'information ? Et je lui disais, plus on avance, moins il y a d'émissions sur la lecture. Pour moi, Radio-Canada, c'est quatre choses. La culture et l'information, deux os principaux. En bas, deux autres gros morceaux : une institution publique et son rapport à la publicité. Ce qu'il faut, c'est trouver le bon équilibre dans tout ça.

À son avis, Radio-Canada avait perdu de vue la priorité qui consistait à privilégier la production et la diffusion culturelles de qualité. Selon lui, on cherchait à gonfler les revenus publicitaires avec des émissions qui ne se distinguaient pas réellement de celles des concurrents.

L'ancien ministre considère même que la suite des choses lui a donné raison. Il explique :

> Radio-Canada a atrophié son mandat culturel à peu près à zéro. C'était ça, mon débat avec Pierre Juneau. Tu veux respecter l'indépendance de la société d'État, mais en même temps, comme ministre, tu souhaiterais que des changements soient apportés au mandat. Ça n'a pas été simple.

Encore aujourd'hui, Marcel Masse s'insurge contre le fait qu'en 1981 on ait accepté sans aucune opposition qu'un ancien attaché de presse de Pierre Trudeau, Pierre O'Neil, devienne directeur général de l'information de Radio-Canada. « C'était tout de même incroyable ! »

Membre du Cabinet conservateur de Brian Mulroney et provenant du Québec, Marcel Masse avait également un autre objectif avoué à propos de Radio-Canada.

> J'étais revenu en politique avec Brian Mulroney pour la constitution. Dans la constitution, Radio-Canada était dans ma soupe. Leur mandat de faire de la propagande – je ne me souviens plus exactement du libellé de l'affaire dans la loi[7] –, mais faire la « promotion de l'unité nationale », ça n'avait pas de bon sens, cette affaire-là ! Cette définition, c'était de la propagande ! Je me suis dit que si moi, qui étais très pro-Québec, je ne faisais pas la bataille, personne ne la ferait. C'était une question de principe !

---

7. Loi sur la radiodiffusion, 1968.

C'était la première vraie grosse bataille de Marcel Masse au sein du gouvernement comme ministre des Communications : il a dû faire face à beaucoup d'opposition au sein même du caucus conservateur et bien sûr de la part des autres partis, sans compter la difficile ratification à obtenir d'un Sénat composé alors d'une majorité de libéraux.

Changer une telle loi n'était pas une mince affaire. Pour y parvenir, il fallait trouver la bonne formulation de rechange. C'est alors que Marcel Masse a eu l'idée de s'inspirer de la définition du mandat de l'ONF pour y emprunter le libellé suivant : « refléter la réalité canadienne au Canada et à l'étranger » plutôt que « contribuer au développement de l'unité nationale », comme le précisait la loi adoptée en 1968. « Ça passerait mieux ainsi, auprès des députés et des sénateurs récalcitrants, de s'inspirer de la définition du mandat de l'ONF pour Radio-Canada. »

Marcel Masse a mené cette bataille après un mandat de trois ans au ministère de l'Énergie (1986-1989), lorsqu'il est revenu au ministère des Communications (1989-1991) pour y faire enfin adopter sa nouvelle Loi sur la radiodiffusion en 1991. Depuis ce temps, « [...] la programmation de la Société devrait à la fois être principalement et typiquement canadienne, refléter la globalité canadienne et rendre compte de la diversité régionale du pays, tant au plan national qu'au niveau régional, tout en répondant aux besoins particuliers des régions[8] [...] ». Exit, donc, la promotion de l'unité canadienne.

À titre de sous-ministre adjoint au ministère des Communications de Marcel Masse, Richard Stursberg[9] a piloté en 1991 l'étude, clause par clause, de cette nouvelle Loi sur la

---

8. Loi sur la radiodiffusion, 1991, art. 3.

9. Plus tard, de 2004 à 2010, le même Richard Stursberg a occupé le poste de vice-président du réseau anglais (CBC).

radiodiffusion au sein du Comité parlementaire des communications. Il confirme que c'est Marcel Masse qui revenait constamment à la charge pour modifier le libellé de la loi au sujet de Radio-Canada. « Nous avions discuté du rôle de Radio-Canada à plusieurs reprises avec M. Masse. Il a insisté sur la formulation "refléter le pays" et pour laisser tomber la "promotion de l'unité nationale"[10]. »

L'empreinte de Pierre O'Neil…

Dans un message aux cadres du Service de l'information, Pierre O'Neil, toujours directeur général, a réagi ainsi au projet de loi avant même son adoption :

> À l'occasion de la présentation du nouveau projet de loi sur la radiodiffusion, certains ont signalé avec satisfaction, voire avec soulagement, le remplacement de cette partie du mandat selon lequel la Société Radio-Canada devait « contribuer au développement de l'unité nationale ». En cela, certains défonçaient des portes ouvertes [...]. [Il] a toujours été convenu que l'information avait pour mission, dans ces débats, de rendre compte généreusement de l'éventail complet des points de vue. Bref, il a été convenu que de refléter adéquatement l'ensemble du pays constituerait la meilleure contribution à la solution, quelle qu'elle soit, aux conflits politiques[11].

Par l'expression « défonçaient des portes ouvertes », Pierre O'Neil tentait probablement de diminuer l'impact que cette ambiguïté – la référence à l'unité nationale dans la loi – avait toujours eu sur le travail des journalistes.

---

10. Richard Stursberg, courriel du 27 mai 2014.

11. Pierre O'Neil, note de service du 6 novembre 1989.

Pour lui, peut-être, Marcel Masse défonçait des portes ouvertes, mais qu'en était-il pour des autres ?

Réal Barnabé se rappelle bien de l'époque où, jeune cadre, son supérieur était Pierre O'Neil :

> Il nous reprochait surtout des fautes professionnelles. Il n'osait pas faire directement d'interventions, disons, partisanes. Parfois, verbalement, il me disait : « André [Ouellet] m'a appelé » ou « Marc [Lalonde[12]] m'a appelé, il y a telle ou telle chose ». Je peux t'affirmer que je n'ai jamais donné suite à ces observations auprès de la rédaction. J'absorbais le choc et je protégeais la salle. Marcel Desjardins, que j'avais recruté comme adjoint quand *Montréal-Matin* avait fermé, m'a remplacé. En avril ou mai 1981. Tu as connu Marcel. Un roc. Lui aussi, à sa manière, a su gérer O'Neil[13].

Cette réponse résume bien la réaction de la vaste majorité des journalistes et des cadres du Service de l'information dans un tel environnement : faire son travail en faisant abstraction des pressions, d'où qu'elles viennent.

Le « jupon » de Pierre O'Neil dépassait aussi lorsqu'en janvier 1989 le premier ministre Robert Bourassa a souhaité recourir à la « clause nonobstant » après que la Cour suprême eut invalidé une partie de la loi 101 en matière d'affichage[14].

---

12. André Ouellet et Marc Lalonde ont été des ministres de premier plan sous Pierre Trudeau.

13. Réal Barnabé, courriel du 26 avril 2014.

14. Jugement de la Cour suprême du 15 décembre 1988 concernant l'interdiction de rédiger dans une autre langue que le français dans l'affichage public et la publicité commerciale (dit « arrêt Ford »). Valérie Ford c. Québec (Procureur général) [1988] 2 R. C. S. 712. « La Cour

Je ne mets en cause ni la légalité ni la légitimité de la clause "nonobstant" [...]. Je continue cependant d'être indigné qu'une classe journalistique complète – la nôtre – s'accommode aussi facilement, en la considérant comme une position modérée, d'une suspension plus ou moins définitive de droits [...], je ne prétends pas qu'il nous incombe à nous de faire la bagarre. Je suis cependant profondément convaincu qu'il nous appartient d'entrevoir la programmation de façon à ce qu'elle fasse la place la plus large possible à la contestation de cette suspension de droits[15].

Selon les témoignages recueillis, Pierre O'Neil écrivait souvent des notes de ce genre aux cadres du Service de l'information. Je n'ai pu en trouver que quelques-unes.

Tout au long du règne d'O'Neil, l'atmosphère d'influence diffuse s'était fait sentir entre autres dans le choix de certains cadres importants, associés aux libéraux. Quelques embauches de réalisateurs et de journalistes étaient aussi surprenantes.

Mentionnons Lina Allard, ancienne chef de cabinet de Claude Ryan de 1981 à 1982, qui est entrée à Radio-Canada en janvier 1983 et a dirigé l'émission *Le Point* en 1988. Quant à Patrick Parisot, il y a travaillé dès avril 1991 comme rédacteur en chef après avoir connu une ascension exceptionnellement rapide. Il a quitté *Le Point* en 1992 pour se retrouver ensuite attaché de presse de Jean Chrétien durant la campagne référendaire. Pour la plupart de ceux qui avaient travaillé avec lui, ce n'était pas une surprise.

---

suprême conclut que l'interdiction d'utiliser toute autre langue que le français dans l'affichage public et la publicité commerciale va à l'encontre de la liberté d'expression. La Cour ouvre cependant la porte à la nette prédominance du français. »

15.   Pierre O'Neil, note de service du 12 janvier 1989, 16 h 35 HNE.

Catherine Cano, attachée de presse de John Turner (1986-1989), a été embauchée au bureau de Radio-Canada à Washington, tout de suite après avoir quitté ses fonctions politiques, comme adjointe à l'administration et par la suite à la réalisation. Normalement, la règle à Radio-Canada est de respecter un « purgatoire » de deux ans avant d'embaucher des gens qui ont travaillé pour un parti politique. *Une règle peut-être suivie moins strictement dans les bureaux à l'étranger.*

C'est également sous Pierre O'Neil qu'a été embauché en 1983 l'animateur et producteur Robert-Guy Scully. En 1977 déjà, le journaliste avait fait l'objet d'une controverse en émettant, dans une conférence aux États-Unis, des propos critiques sur le Québec que plusieurs avaient jugés méprisants. Plus tard, il avait fait plusieurs fois les manchettes pour avoir caché à Radio-Canada l'origine du financement[16] de quelques-unes des émissions de sa maison de production, comme *Les Minutes du patrimoine, Le Canada du millénaire* et *Maurice Richard.* Une partie de ce financement provenait d'une agence fédérale créée pour promouvoir l'unité canadienne. L'origine des fonds était camouflée derrière de grandes compagnies comme Via Rail ou BCE qui servaient d'intermédiaires et en même temps de paravents. Visiblement, le gouvernement Chrétien avait trouvé là un moyen discret et astucieux d'intervenir directement dans le contenu des émissions de Radio-Canada. Robert-Guy Scully a été entendu comme témoin à ce sujet lors de la commission Gomery, qui enquêtait sur le scandale des commandites.

---

16. « Robert-Guy Scully quitte le journalisme », Radio-Canada, 9 juin 2000, [ici.radio-canada.ca/nouvelles/49/49328.htm]. Voir aussi des extraits du livre de Mario Cardinal, *Il ne faut pas toujours croire les journalistes,* publiés dans *Le Devoir* : www.ledevoir.com/non-classe/74475/les-derapages-de-l-information-l-affaire-lester-une-affaire-de-deontologie-ou-de-politique.

Heureusement pour nous, Pierre O'Neil avait aussi favorisé à la même époque l'embauche de cadres avec un solide bagage journalistique, notamment Claude Saint-Laurent, qui venait de *La Presse,* et Marcel Desjardins, de *Montréal-Matin.*

On peut s'en douter, toute cette mouvance libérale au Service de l'information agaçait plusieurs conservateurs, dont le ministre Marcel Masse. On accusait les libéraux de se comporter comme les propriétaires de Radio-Canada. Reportons-nous à l'époque. C'était la période où Brian Mulroney et les conservateurs tentaient de rallier le pays autour d'une entente reconnaissant un statut de société distincte au Québec, le fameux Accord du lac Meech, auquel s'opposaient fortement les libéraux fidèles à Pierre Trudeau.

En 1991, Pierre O'Neil prenait officiellement sa retraite. Il était congédié, en fait, en même temps que deux autres membres de la haute direction, pour des raisons qui n'ont jamais été vraiment expliquées. Peut-être que le vice-président Guy Gougeon souhaitait simplement faire un grand ménage. Il reste que la décision a été prise vers la fin du second mandat de Brian Mulroney. Voici un extrait d'un article de Louise Cousineau paru dans *La Presse* le 17 septembre 1991 :

> Trois grands patrons limogés à Radio-Canada [...]. Jamais n'a-t-on vu un tel décapitage à Radio-Canada. La directrice générale de la télévision générale et le directeur de l'information télévision de Radio-Canada sont limogés. Mme Andréanne Bournival et M. Pierre O'Neil quitteront leur poste vendredi de cette semaine. Le directeur général des ventes, M. Pierre Vachon, est mis à la porte.

Pierre O'Neil était parti, Marcel Masse avait fait adopter sa nouvelle loi, mais il y avait encore une référence à la défense de l'unité nationale, un relent de l'ancienne loi toujours inscrit dans le guide des *Normes et pratiques journalistiques de Radio-Canada*. Beaucoup de journalistes souhaitaient voir disparaître ce rappel d'une époque qui leur paraissait enfin révolue.

Jean-François Lépine était de ceux-là. C'est d'ailleurs probablement ce qui lui a fait rater de peu l'occasion de devenir directeur général de l'information après le départ de Pierre O'Neil.

Candidat favori du président de Radio-Canada Gérard Veilleux et du vice-président de la télévision française Guy Gougeon pour succéder à Pierre O'Neil, Jean-François Lépine avait été invité à poser sa candidature pour le poste et il avait indiqué qu'il ne l'accepterait qu'à la condition qu'on retire cette fameuse référence à la promotion de l'unité nationale du préambule des *Normes et pratiques journalistiques*. Il avait même dénoncé ce texte publiquement lors d'une conférence à l'Université d'Ottawa quelque temps auparavant.

Lors de sa dernière rencontre avec le comité de sélection, il a de nouveau insisté sur cette condition. Quatre personnes siégeaient à ce comité : Trina McQueen de CBC, le chasseur de têtes Jean-Pierre Bourbonnais, le vice-président de la télévision Guy Gougeon et la directrice du *Devoir* Lise Bissonnette. Trina McQueen a alors demandé à Jean-François Lépine de répondre sans équivoque à la question suivante : « par un oui ou par un non, si cette référence à l'unité nationale n'est pas retirée, êtes-vous candidat ? » Il a répondu : « Non ! » À quarante ans, Jean-François Lépine venait de rater sa chance de devenir patron de l'information à Radio-Canada[17].

Bien entendu, au cours de l'année suivante, les normes radio-canadiennes ont été adaptées à la nouvelle loi.

---

17. Jean-François Lépine, entretien du 22 mai 2014.

Vague de compressions

Si Marcel Masse a pu contribuer à clarifier la loi, son gouvernement ne s'est pas gêné pour réduire la taille de Radio-Canada. On s'inquiète beaucoup de l'indépendance du diffuseur public, mais ce sont souvent les décisions budgétaires des gouvernements qui ont le plus d'influence sur ses orientations. Dès son arrivée au pouvoir en 1984, Brian Mulroney avait confié à son vice-premier ministre Erik Nielsen la responsabilité de scruter à la loupe tous les programmes gouvernementaux, dont le budget de Radio-Canada.

Il faut dire que tout le monde prenait conscience que les déficits budgétaires et le poids de la dette publique augmentaient sans cesse. Il fallait freiner ce mouvement et Radio-Canada n'a pas échappé au couperet, même si en fin de compte les déficits ont augmenté sous le gouvernement Mulroney.

Ainsi, en 1985, une année après mon entrée à Radio-Canada, l'inquiétude des employés pour leur avenir était à son comble. Dans son budget, le gouvernement conservateur annonçait d'importantes compressions. Il retranchait 85 millions de sa contribution au fonds d'exploitation de Radio-Canada et de CBC, ce qui signifiait l'abolition de 1 150 postes à travers le pays. C'était le début d'un long cycle de réductions des budgets. Pour Marcel Masse, il s'agissait pourtant de l'occasion à saisir pour redéfinir le rôle et le mandat de Radio-Canada. Ce serait l'objet de discussions importantes avec Pierre Juneau.

> Si on a créé une institution publique, c'est qu'on lui a confié des responsabilités particulières, certainement pas pour concurrencer le secteur privé, argumente l'ancien ministre des Communications. Si Radio-Canada garde la publicité, Radio-Canada va mourir. Mais là, Radio-Canada voulait plus d'argent. Mais c'était pas plus d'argent qu'il lui fallait, c'était de revenir à son mandat d'ins-

titution publique. J'ai dit à Juneau, si on vous enlève la publicité, vous allez devoir tirer la culture vers le haut. En retour, on pourrait donner ainsi toute la publicité aux télévisions privées[18].

Marcel Masse a ensuite proposé sa solution au président de Radio-Canada.

On prélèverait ensuite une taxe sur la publicité qui va aller dans votre « pot » et à partir de là on s'ajustera au fur et à mesure. Alors ça, on en a discuté, Pierre Juneau et moi. C'était mon option et ça continue aujourd'hui d'être une option[19].

Ce n'est pas cette option qui l'a emporté. On a assisté plutôt à l'amorce d'une tendance lourde pour tenter de contrer l'impact des réductions budgétaires, appelons-la l'approche pragmatique. En effet, la solution de la direction de Radio-Canada de l'époque était, tout comme c'est le cas aujourd'hui, de chercher à augmenter ses sources de financement autonomes en se tournant vers les revenus publicitaires. Ceux-ci sont passés de 17 % du budget total en 1982 à 28 % en 1989. Par la suite, la croissance s'est poursuivie pour atteindre 36 % en 2012-2013.

Comme l'ont signalé plusieurs, cette quête de revenus commerciaux pour pallier la réduction de l'allocation gouvernementale a créé une pression de plus en plus forte qui a forcé la télévision publique à produire des émissions conçues pour générer des revenus publicitaires. En cela, Radio-Canada a besoin d'occuper plusieurs heures par jour le même territoire que son « concurrent d'en face », la télévision privée TVA.

---

18. Marcel Masse, entretien du 3 juin 2014.

19. *Ibid.*

À long terme, agir ainsi, c'est la meilleure façon de donner des arguments à ceux qui veulent mettre fin au service public qu'est Radio-Canada. Je ne veux pas dire ici que la programmation doit être élitiste. Par exemple, en matière d'information, j'ai toujours défendu l'idée que tous les sujets d'intérêt public méritent d'être traités, qu'il s'agisse de faits divers ou de grands événements internationaux. Mais il faut les traiter à notre manière, comme un service public se doit de le faire, avec les nuances, les précautions et les mises en perspective nécessaires.

Au début de son mandat, en 1985, Marcel Masse a souhaité une large réflexion. Il a confié à Florian Sauvageau et à Gérald Caplan[20] la tâche d'analyser l'ensemble de la situation de l'audiovisuel au Canada et, à partir de là, le rôle de Radio-Canada. Florian Sauvageau se rappelle le contexte :

> Il est intéressant que Masse ait créé son propre groupe de travail. Il fallait revoir la Loi sur la radiodiffusion. Le câble avait tout changé, les canaux spécialisés se développaient et bien des conservateurs n'aimaient pas Radio-Canada. Mais Masse savait que j'étais un défenseur du service public. Il m'avait promis qu'il n'interviendrait pas dans nos travaux. Il a tenu promesse[21].

De fait, le rapport Caplan-Sauvageau[22], publié en 1986, a été fort utile pour mieux comprendre le milieu de l'audio-

---

20. Florian Sauvageau est professeur de journalisme à l'Université Laval. Gérald Caplan est historien, il était candidat néodémocrate en Ontario en 1982.

21. Florian Sauvageau, courriel du 3 juin 2014.

22. Gérald L. Caplan et Florian Sauvageau, *Rapport du Groupe de travail sur la politique de la radiodiffusion*, Ottawa, Approvisionnements et services Canada, 1986.

visuel. Il dressait un portrait fidèle de la concurrence et des nouveaux joueurs que constituaient les chaînes spécialisées dans un univers occupé jusque-là uniquement par des chaînes généralistes conventionnelles. Il donnait aussi au ministre Masse quelques arguments de poids pour la rédaction de la future Loi sur la radiodiffusion de 1991. Par exemple, Caplan et Sauvageau souhaitaient que les diffuseurs offrent plus de contenu canadien, notamment par l'établissement de règles du CRTC afin de s'assurer que les réseaux privés consacrent davantage de fonds aux émissions canadiennes. Le rapport proposait la création d'un nouveau réseau public (une seconde chaîne de Radio-Canada) et, surtout, que la télévision publique soit mieux financée. Enfin, le rapport Caplan-Sauvageau recommandait de changer le mode de nomination des membres du conseil d'administration de Radio-Canada[23].

Florian Sauvageau est très fier de ce rapport :

Enfin, je sais bien que je ne suis guère objectif à ce sujet, mais je pense que notre rapport a eu des suites. La loi de 1991 reconnaît la différence entre les systèmes de radiodiffusion de langue française et de langue anglaise ; c'était très important pour moi. Elle reconnaît aussi la place des médias communautaires, au même titre que les secteurs public et privé ; cela aussi me tenait à cœur [...]. Et le mandat de contribution à l'unité nationale a été revu. C'est déjà ça !

Bien sûr, Radio-Canada a continué à décliner (sous tous les partis), mais cela n'a rien à voir avec la Loi sur la radiodiffusion. C'est une histoire politique[24] !

---

23. Cette partie importante du rapport est malheureusement restée lettre morte.

24. Florian Sauvageau, courriel du 3 juin 2014.

Les réflexions de Caplan et de Sauvageau sur la place du service public de Radio-Canada, sur son rôle et son mandat, n'ont quant à elles pas donné lieu au débat en profondeur souhaité. Entre-temps, autant que faire se peut, les dirigeants de Radio-Canada ont continué de gérer des budgets en décroissance. Un tel contexte n'était certes pas le meilleur pour préparer l'avenir dans un tout nouvel environnement médiatique, celui des chaînes spécialisées, de la puissance grandissante des câblodistributeurs et de l'hostilité des télédiffuseurs privés. Le pragmatisme dans la gestion du service public a ses limites.

En 1990, le rêve de Brian Mulroney de réintégrer le Québec dans la constitution canadienne « dans l'honneur et l'enthousiasme » n'a pas rallié tout le monde, loin de là. Le fameux Accord du lac Meech, qui devait accorder un statut de société distincte au Québec dans le Canada, s'est soldé par un échec. À Québec, le premier ministre Bourassa a alors déclaré :

> Le Canada anglais doit comprendre de façon très claire que, quoi qu'on dise et quoi qu'on fasse, le Québec est, aujourd'hui et pour toujours, une société distincte, libre et capable d'assumer son destin et son développement.

Deux ans plus tard, le 26 octobre 1992, dans une ultime tentative de sauver les meubles, un référendum dont on ne se souvient à peu près pas – celui qui portait sur l'Accord de Charlottetown – proposait aux Canadiens et aux Québécois un nouveau projet de constitution qui ne satisfaisait personne. Quelques mois après cet échec, Brian Mulroney a démissionné.

Puis, le 4 novembre 1993, Jean Chrétien et le Parti libéral ont repris le pouvoir après neuf années de gouvernement conservateur. Et, le 26 septembre 1994, lorsque Jacques Parizeau et le Parti québécois ont été élus à leur tour, le Québec et tout le Canada entraient dans une nouvelle ère de tensions. La table était mise pour que le pays se dirige vers un véritable point de rupture.

Pendant que le grand combat politique du référendum de 1995 se préparait, Radio-Canada vivait de nouveau une crise financière. Ainsi, le président-directeur général Anthony Manera, tout récemment nommé en février 1994, démissionnait avec fracas le 27 février 1995 en déclarant que « la Société Radio-Canada ne pourra[it] plus remplir adéquatement son mandat » et qu'il ne voulait pas « présider au démantèlement[25] » du diffuseur public.

Tony Manera avait été vice-président aux ressources humaines à Radio-Canada pendant dix ans avant d'être nommé PDG. Il était estomaqué que le gouvernement libéral annonce dans son budget des compressions budgétaires beaucoup plus importantes que celles auxquelles l'avait préparé le ministre du Patrimoine, Michel Dupuy.

Paul Racine était sous-ministre adjoint du Patrimoine à l'époque. Il se rappelle bien le fil des événements. C'est lui qui avait discuté des cibles de compressions de Radio-Canada avec Tony Manera. Selon lui, « le ministre Dupuy n'osait pas trancher. Alors, le Conseil du Trésor a tranché et Dupuy a dit qu'il n'avait pas pris cette décision, qu'il n'avait pas été consulté[26] ».

Paul Racine estime que, de tous les ministres des Communications et du Patrimoine avec lesquels il a travaillé – il en a connu huit –, Michel Dupuy était le plus faible et Marcel Masse était le plus fort.

> [Marcel Masse] avait toujours l'écoute de Brian Mulroney.
> Et il avait une qualité exceptionnelle, il allait parfois même

25. Tony Manera, « I Will Not Preside the Dismantle of CBC », *Maclean's*, 13 mars 1995.

26. Paul Racine, entretien téléphonique du 20 juin 2014.

chercher de l'argent neuf pour son ministère. En plus, on a vécu une période extraordinaire de collaboration avec le Québec. Ça a été une grande période de coopération. Il y avait une atmosphère beaucoup moins tendue. Durant les deux mandats du gouvernement Mulroney (1984-1993), je n'ai jamais senti de ressentiment à l'égard de Radio-Canada, alors que les libéraux alimentaient toujours la tension[27].

Un dernier coup de pouce de Pierre Juneau

Pour remplacer Tony Manera, Jean Chrétien a nommé Perrin Beatty, un ancien ministre conservateur, à la présidence de Radio-Canada. Cette fois-ci, on ne pouvait certainement pas accuser le premier ministre d'y placer un partisan libéral…

Peut-être pour calmer le jeu après la démission surprise de Tony Manera, le gouvernement a mis sur pied un comité gouvernemental mandaté par le ministère des Approvisionnements et Services chargé d'examiner les mandats de la Société Radio-Canada, de l'ONF et de Téléfilm. Le comité était présidé par Pierre Juneau, qui n'était pas homme à faire de la figuration. Aussi, en janvier 1996, son rapport concluait qu'il fallait donner à Radio-Canada les moyens de se sortir de l'impasse. Le titre du rapport : *Faire entendre nos voix. Le cinéma et la télévision du Canada au 21ᵉ siècle.*

Il proposait d'imposer une nouvelle taxe aux câblo-distributeurs afin de subvenir aux besoins de Radio-Canada : « C'est une taxe sur les revenus des compagnies de câble, pas sur les consommateurs. Elle représenterait une augmentation de 1,50 $ par mois pour l'abonné ordinaire. »

---

27. *Ibid.*

En même temps, il jugeait sévèrement la télévision de Radio-Canada, qui était devenue, selon lui, « un hybride, une entreprise de télévision qui n'est ni un véritable commerce ni un véritable service public ». Marcel Masse a dû esquisser un sourire à la lecture de ce passage.

Pierre Juneau recommandait donc que Radio-Canada se retire complètement de la lutte aux cotes d'écoute et de la course aux revenus publicitaires.

C'étaient des conclusions audacieuses. La FPJQ, que je présidais alors, avait accueilli positivement ce rapport.

> [...] la FPJQ reconnaît que le mode de financement proposé, une nouvelle taxe, risque de soulever de vives oppositions. Mais pour la FPJQ, la SRC « version Juneau » en vaudrait le coût. Ce mode de financement garantirait d'une part une liberté certaine à l'égard des annonceurs, mais elle assurerait aussi l'indépendance de la Société à l'égard des pouvoirs politiques, une indépendance qui a été récemment malmenée par le gouvernement Chrétien[28].

La réaction des opposants au rapport Juneau a été cinglante.

La proposition d'une taxe sur la câblodistribution avait fait l'objet d'une fuite permettant au lobby de l'industrie d'orchestrer une solide campagne de relations publiques et d'anéantir l'idée dès la publication du rapport. Pas étonnant, puisque les câblodistributeurs auraient dû contribuer au financement de Radio-Canada...

Lise Bissonnette, alors directrice du *Devoir*, écrivait : « Il serait dommage que le débat sur le financement, qui s'an-

---

28. « Le Rapport Juneau, une bonne chose pour Radio-Canada », communiqué de la FPJQ, 31 janvier 1996.

nonce houleux, fasse dévier maintenant la trajectoire d'une aussi heureuse proposition[29]. »

L'« aussi heureuse » proposition n'a jamais reçu l'appui nécessaire pour amorcer quelque discussion de fond que ce soit. Un autre rendez-vous manqué dans l'histoire du diffuseur public.

Mais précisément, pour l'histoire et afin de souligner la contribution de Pierre Juneau au débat sur la société d'État, retenons une dernière déclaration en guise de mot de la fin. Celui-là même que les souverainistes soupçonnaient de vouloir faire de la propagande fédéraliste à l'époque où il dirigeait Radio-Canada (1982-1989), a en fait démontré qu'il avait un grand sens du service public en février 1996, en y allant d'une déclaration qui prenait le contre-pied de la position défendue par la nouvelle ministre du Patrimoine, Sheila Copps : « La culture et la politique, c'est mieux de tenir ça séparé. Radio-Canada doit être ouverte, mais pas pour faire la propagande de quoi que ce soit[30]. »

Une déclaration qui a dû faire sourire de nouveau l'ancien ministre conservateur des Communications, Marcel Masse…

29. Lise Bissonnette, « Pour une vraie télévision publique », *Le Devoir*, 2 février 1996.

30. Mario Cloutier, « Radio-Canada doit fuir la propagande », *Le Devoir*, 2 février 1996.

CHAPITRE VII

De référendum en référendum

Le référendum de Charlottetown en 1992 est tombé dans l'oubli. Il a quand même donné lieu aux affrontements idéologiques habituels entre souverainistes et fédéralistes. C'est dans ce climat de tension que la direction avait décidé d'entreprendre de grands changements à l'émission *Le Point,* où je travaillais. Le journaliste Jean Pelletier devenait le nouveau rédacteur en chef de l'émission, Louis Lalande (l'actuel vice-président) devenait le réalisateur-coordonnateur et Jean-François Lépine, l'animateur. Plusieurs collègues de la saison précédente avaient été déplacés. Pour ma part, j'étais écarté de la direction quotidienne de l'émission comme coordonnateur-studio. Tous ces changements avaient créé une atmosphère lourde. Beaucoup de journalistes voyaient d'un mauvais œil l'idée que leur nouveau patron soit le fils de l'ancien ministre Gérard Pelletier. Il est vrai que Jean Pelletier partageait la même passion pour le journalisme que son père, mais également les mêmes convictions fédéralistes, qu'il exprimait alors ouvertement. D'ailleurs, à ma connaissance, il est un des rares journalistes et patrons à les avoir exprimées aussi librement devant les employés. (J'ai dit plus haut que je crois préférable de garder ses opinions personnelles pour soi quand on exerce des responsabilités en information à Radio-Canada.) En revanche, j'ai toujours reconnu que Jean Pelletier était doté d'excellents réflexes journalistiques et d'une vaste culture. Devenu son patron à mon tour en 2006, j'ai eu le grand plaisir de développer avec lui une grande complicité professionnelle, notamment dans la supervision de l'émission *Enquêtes*, dont il avait la responsabilité.

Mais sur le coup, en 1992, l'atmosphère morose au *Point*, jumelée à une offre salariale intéressante de Radio-Québec, a influencé ma décision de quitter Radio-Canada pour deux ans. J'éprouvais aussi le goût de prendre une bouffée d'air frais et d'acquérir de l'expérience comme gestionnaire. À Radio-Québec, j'ai dirigé entre autres les émissions *Droit de parole, Québec Magazine* et *Le Choc du présent*.

Les affaires publiques m'ont toujours intéressé. Une émission comme *Droit de parole*, lorsqu'elle ciblait bien les sujets et les invités, offrait une extraordinaire tribune pour débattre des idées. Ce type d'émission est presque disparu du radar de la chaîne principale de la télévision de Radio-Canada, comme si les face-à-face, les débats d'idées étaient devenus démodés, honnis, depuis qu'on les qualifiait avec dédain de « shows de chaises ». Dommage, on y a perdu beaucoup au change.

Je ne prône pas ici un retour à la télévision des débuts. Bien sûr, il est très important de présenter une télévision moderne et des reportages sur le terrain pour montrer les événements tels qu'ils se déroulent. Comme réalisateur, j'ai moi-même produit plusieurs reportages ici et ailleurs dans le monde.

Toujours est-il que ce passage à Radio-Québec m'a permis de prendre de l'expérience dans la direction d'équipes, jusqu'à mon retour comme réalisateur de reportages à l'émission *Enjeux* de Radio-Canada en 1995, l'année d'un autre référendum, beaucoup plus significatif celui-là.

RDI, la grande nouveauté

Le 1er janvier 1995, la nouvelle chaîne d'information continue, le Réseau de l'information (RDI), lançait sa programmation. Cette chaîne, c'est une partie du legs de Claude Saint-Laurent, qui avait succédé à Pierre O'Neil à la direction générale de l'information de la télévision de Radio-Canada en 1991. Claude Saint-Laurent avait dû batailler ferme, même à l'interne, pour convaincre tout le monde de la faisabilité du projet.

Contrairement à la radio et à la télévision de Radio-Canada, la chaîne RDI n'est pas financée par une subvention gouvernementale, mais plutôt par les abonnements aux télédistributeurs. L'arrivée de cette nouvelle chaîne offrait enfin un peu d'espoir à Radio-Canada, qui n'avait connu que la décroissance au cours des années précédentes.

Surtout, la nouvelle chaîne répondait à un besoin essentiel. Nous entrions dans l'ère de l'information continue et il n'était pas question que les francophones de ce pays soient obligés de se rabattre sur les chaînes américaines comme CNN ou sur la chaîne du réseau anglais CBC Newsworld pour s'informer en continu.

Sous la gouverne de son premier directeur, Renaud Gilbert, RDI a complètement bouleversé la pratique du journalisme à Radio-Canada. Désormais, il fallait que la nouvelle sorte dès qu'elle faisait son apparition. Pour toute la profession, le journalisme ne pourrait plus se pratiquer comme avant. Il n'existait plus d'heure de tombée, puisque RDI pouvait rendre obsolète la une d'un quotidien. La chaîne a été sévèrement critiquée – parfois avec justesse, lorsqu'il lui est arrivé d'accorder une importance démesurée à une information banale, d'autres fois injustement – par la concurrence, qui voyait ses habitudes et ses horaires de travail chamboulés.

Lors de l'inauguration de la programmation, le jour de l'An 1995, j'avais, en tant que président de la FPJQ, salué avec enthousiasme ce nouveau média, mais je comprenais également que les nouvelles circuleraient dorénavant à toute vitesse.

Nous étions au début d'une période des plus intenses sur le plan de l'actualité. Jean Chrétien était premier ministre et le chef de l'opposition officielle du Canada, Lucien Bouchard, était un souverainiste du Bloc québécois. Que l'opposition officielle souhaite que le Québec se retire du Canada, cela ne s'était jamais vu dans l'histoire du pays ! Puis, en septembre 1994, Jacques Parizeau et le Parti québécois prenaient le pouvoir à Québec avec comme objectif avoué d'organiser un référendum sur la souveraineté. La collision identitaire entre souverainistes et fédéralistes était bel et bien repartie et, pour rendre compte de cette guerre politique, RDI apparaissait.

« C'est le référendum de 1995 qui a lancé RDI », dit Renaud Gilbert[1]. Plus la date du référendum, le 30 octobre, approchait, plus la chaîne était prise à partie, autant par les souverainistes que par les fédéralistes. On l'accusait de parti pris. Le camp fédéraliste utilisait l'expression « RD-oui » pour qualifier la chaîne d'information continue, tandis que pour le camp souverainiste c'était « Radio-Ô-Canada ». La différence notoire, cependant, c'est qu'à titre de responsable de Radio-Canada, le gouvernement canadien se sentait davantage autorisé à critiquer la société d'État, en adoptant l'attitude d'un propriétaire des lieux. Dans une moindre mesure, il n'était quand même pas rare d'entendre également quelques ténors du camp souverainiste accuser Radio-Canada de faire de la propagande fédéraliste au Québec.

Radio-Canada et toutes ses composantes étaient donc dans la mire de tous les acteurs politiques, car, comme le veut la tradition, le diffuseur public jouait un rôle majeur en matière d'information politique. L'année 1995 n'a pas échappé à la règle.

Le grand *love-in*

Un événement a cristallisé la tension qui régnait lors de la campagne référendaire et a montré à quel point les pressions étaient fortes sur les journalistes, en particulier ceux de Radio-

---

1. Renaud Gilbert, entretien du 18 février 2014.

Canada. Ainsi, le 27 octobre 1995, trois jours avant le référendum, la question la plus importante était : combien de personnes y avait-il, place du Canada à Montréal, lors de ce fameux *love-in* du camp fédéraliste, où des milliers de citoyens venant d'un peu partout au pays s'étaient déplacés pour exprimer leur attachement au Québec ? Le camp fédéraliste a accusé les journalistes québécois – particulièrement ceux de Radio-Canada – d'avoir sous-estimé l'ampleur de la manifestation.

Faisons ici une parenthèse.

Historiquement, les médias ont toujours eu de la difficulté à estimer la taille des foules lors des grands rassemblements. Par exemple, des batailles épiques de chiffres ont plusieurs fois opposé les organisateurs des défilés de la Fête nationale, de la Saint-Patrick, de la Fête du Canada et de plusieurs autres manifestations, chacun prétendant détenir le record historique de participation. La symbolique du nombre compte pour beaucoup dans le combat politique. À titre de président de la FPJQ, j'ai fait plusieurs interventions au début des années 1990 afin d'appeler les médias à plus de rigueur dans l'évaluation des foules. J'avais entre autres proposé que les médias aient recours à des experts indépendants lors de grandes manifestations. Ainsi, j'avais salué une initiative de *La Presse,* qui avait fait appel à une firme indépendante pour évaluer le nombre de personnes ayant participé à la Fête nationale et à la Fête du Canada en 1992. « Une telle initiative vient combler une lacune importante dans le monde de l'information. Aussi, j'aimerais profiter de l'occasion pour encourager d'autres entreprises de presse à pousser cette initiative[2]. »

Fin de la parenthèse.

2. Alain Saulnier (président de la FPJQ), lettre aux lecteurs, *La Presse,* 20 juillet 1992.

Le 27 octobre 1995, l'évaluation de la foule présente au plus gros rassemblement pour le « non » à Montréal a donné lieu à la plus incroyable guerre de chiffres à saveur idéologique. On a accusé les journalistes de Radio-Canada de tous les maux.

Dans un rapport sur la couverture référendaire de 1995, Donna Logan, mandatée par le conseil d'administration de Radio-Canada, traitait de cette controverse entourant le nombre de participants au rassemblement pour le « non ».

> La taille de la foule réunie pour l'occasion s'avéra un autre sujet critique. [...] Les évaluations du nombre de participants réunis au Square Dominion ont oscillé entre 35 000 et 150 000 personnes et plus. À la fin d'une émission spéciale qu'il animait en direct à l'antenne de RDI, Jean Bédard[3] a affirmé que, d'après les sources policières officielles, la foule comptait 35 000 personnes. [...] En présentant Jean Charest, Liza Frulla[4] a dit : « selon les hélicoptères [*sic*] nous sommes aujourd'hui plus de 150 000 personnes ». [...] Du côté de Newsworld, les animateurs Don Newman et Alison Smith ont déclaré, au début de leur émission en direct, que les services de dépêches estimaient la foule à 150 000 participants.

Claude Saint-Laurent se rappelle à quel point il a été difficile de résister à toutes les accusations de parti pris adressées à Radio-Canada à la suite de cet événement.

---

3. Jean Bédard était journaliste politique à RDI.

4. À cette époque, Liza Frulla était députée libérale de la circonscription Marguerite-Bourgeois à l'Assemblée nationale.

Pierre Jomphe[5] et moi, on a eu la bonne idée de fermer la trappe à tous les détracteurs en faisant appel à des experts scientifiques en mesure d'évaluer de manière exacte le nombre de personnes dans l'immense foule. On a appelé des arpenteurs géomètres, on a utilisé des photos aériennes qu'on a recomposées afin d'observer tout le territoire concerné[6].

Reprenons la séquence de la journée. En ondes, le journaliste Jean Bédard évalue la foule à 35 000 personnes. Ses sources étaient diverses : des policiers et des collègues journalistes sur le terrain, dont le chroniqueur à la circulation Roger Laroche qui survolait les lieux à bord du *Vol au vent,* l'avion de Radio-Canada. Le chiffre n'avait pas été lancé au hasard, car avant l'événement des policiers avaient déjà évalué combien de personnes les lieux pouvaient contenir.

Après l'intervention de Jean Bédard, un texte du comité du camp du « non » publié par Telbec (communiqué n° 300 095, daté du 27 octobre 1995 à 15 h 21 min 58 s) a bel et bien titré « Plus de 40 000 Québécois et Canadiens expriment leur fierté ».

Puis, coup de théâtre, un nouveau titre provenant du même comité du « non » est publié par Telbec trente et une minutes plus tard : « Une erreur s'est glissée dans la transcription du communiqué précédent (Réf. message Telbec #300 095, 16:03:34) Plus de 100 000 Québécois et Canadiens expriment leur fierté[7]. »

---

5.   Pierre Jomphe était cadre au Service de l'information sous la direction de Claude Saint-Laurent.

6.   Claude Saint-Laurent, entretien téléphonique du 21 janvier 2014.

7.   Telbec, communiqué n° 300095, 16 h 03 min 34 sec, 27 octobre 1995.

Place du Canada, sur scène, l'animatrice Liza Frulla va plus loin. « Nous sommes 150 000 ! » clame la vice-présidente du camp du « non ». Aujourd'hui, Liza Frulla sourit lorsqu'on lui rappelle l'événement. « Moi, sur la tribune, on m'avait soufflé à l'oreille que nous étions 150 000 personnes. C'était un beau chiffre, alors je l'ai dit au micro. Mais c'était tout de même une des plus grosses manifestations que j'avais vues[8]. »

Étonnant, tout de même, ce bond de 35 000 à 150 000 personnes. Surtout qu'avant la manifestation même les directions du comité du « non » et du Parti libéral du Québec avaient affirmé que l'espace ne pouvait accueillir qu'entre 35 000 et 38 000 personnes.

Mais le mal était fait. Il n'en fallait pas plus pour qu'on accuse les journalistes de Radio-Canada de complicité avec les séparatistes du camp du « oui ». C'est ce qu'a écrit, entre autres, Rosie DiManno, du *Toronto Star.*

C'est pour ces raisons que le directeur général de l'information Claude Saint-Laurent et son collègue Pierre Jomphe ont voulu contrer ces accusations de partisanerie en engageant des experts scientifiques. La conclusion de ces derniers : il y avait tout au plus 39 500 personnes, avec une marge d'erreur de 25 % ! Radio-Canada était en plein dans le mille… « À la fin, on a eu une évaluation de foule incontestable ! On en était très fiers ! » se souvient Claude Saint-Laurent[9].

Par ailleurs, quelques jours après la courte victoire du « non », Jean Chrétien ne s'est pas gêné pour accuser Radio-Canada de parti pris en faveur du camp souverainiste : « Radio-Canada a le mandat de faire la promotion de l'unité nationale, mais ce n'était manifestement pas une de ses pré-

---

8. Liza Frulla, entretien du 11 juin 2014.

9. Claude Saint-Laurent, entretien téléphonique du 21 janvier 2014.

occupations soir après soir quand j'ai regardé[10]. » Quatre ans après l'adoption d'une nouvelle loi par les conservateurs, Jean Chrétien montrait qu'il n'avait pas encore compris – ou accepté – que Radio-Canada n'avait plus le mandat de « contribuer au développement de l'unité nationale ». Il ignorait volontairement la loi de 1991 pour se référer plutôt à la version de 1968, adoptée sous le gouvernement Pearson. Que Jean Chrétien s'y réfère de nouveau montrait que ce libellé de 1968 avait eu une grande signification pour les libéraux.

Le PDG de Radio-Canada Perrin Beatty se « distancie timidement de la déclaration de Jean Chrétien[11] », titrait *Le Devoir*. *The Globe and Mail* a été plus généreux envers Beatty : « Beatty Reminds PM That Networks Are Public, Not State, Broadcasters[12] » (« Beatty rappelle au premier ministre que les réseaux [Radio-Canada et CBC] sont des diffuseurs publics, pas des réseaux d'État »).

Quoi qu'il en soit, Claude Saint-Laurent avait fait un beau pied de nez aux détracteurs du travail de ses journalistes. L'évaluation de foule de ses experts lui a également permis de couper court aux accusations qui provenaient même de certains membres du conseil d'administration de Radio-Canada. C'est ce CA qui avait confié à Donna Logan le mandat de présider un comité baptisé « Responsabilité des médias » afin d'évaluer la couverture du référendum québécois de 1995 par les services d'information de Radio-Canada et de CBC. Ce comité avait commandé une étude indépendante à la maison torontoise Erin Research. Cette dernière a conclu, quelques

---

10. Cité dans Chantal Hébert, « Ottawa déclare la guerre à R.-C. », *La Presse,* 14 novembre 1995.

11. Paule Des Rivières, *Le Devoir,* 14 novembre 1995, p. 1.

12. Hugh Windsor, *The Globe and Mail,* 14 novembre 1995.

semaines après le référendum, que « du point de vue politique, la couverture a été juste et équilibrée sur chacun des réseaux dont les activités ont été examinées ».

Conclusion de cet incident : la seule promotion qui doit préoccuper les journalistes de Radio-Canada est celle d'une information libre et indépendante, respectueuse des règles fondamentales du métier. Et en cela, qu'on soit favorable à la souveraineté du Québec ou au fédéralisme canadien, le changement opéré par Marcel Masse a certainement procuré aux journalistes du diffuseur public plus de liberté de travail et de crédibilité aux yeux du public.

La réponse de Jean Chrétien

La conclusion du premier ministre était tout autre. Sa réaction a été cinglante. C'est en effet après le référendum de 1995 qu'on a assisté à la chute la plus spectaculaire du budget de Radio-Canada.

À ce sujet, examinons le tableau préparé par Les Amis de la radiodiffusion canadienne (aussi connus sous le nom de Friends of Canadian Broadcasting), que nous reproduisons avec l'autorisation de ses auteurs[13]. Les montants indiqués dans ce tableau englobent les allocations des réseaux anglais et français.

---

13. Les chiffres de ce tableau décrivent l'allocation totale pour les deux réseaux, anglais et français. Le tableau fait une différence entre deux types d'allocations, certaines sommes étant destinées à l'exploitation courante (ligne rouge) alors que la ligne bleue englobe toutes les allocations, y compris les sommes réservées à l'entretien et au développement des infrastructures. Les fonds de production mentionnés au bas du tableau sont les fonds alloués aux producteurs privés qui vendent leurs émissions à des diffuseurs. Ces fonds publics sont disponibles également pour les diffuseurs privés.

L'évolution de l'allocation parlementaire de la SRC
(en dollars de 2014)

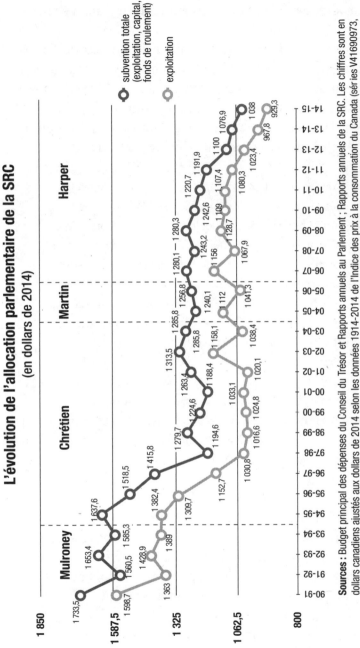

Légende :
- subvention totale (exploitation, capital, fonds de roulement)
- exploitation

Sources : Budget principal des dépenses du Conseil du Trésor et Rapports annuels au Parlement ; Rapports annuels de la SRC. Les chiffres sont en dollars canadiens ajustés aux dollars de 2014 selon les données 1914-2014 de l'Indice des prix à la consommation du Canada (séries V41690973, avril 2014). Ces années reflètent l'année fiscale du gouvernement du Canada se terminant le 31 mars. Les chiffres comprennent des fonds annuels supplémentaires de 60 millions de dollars entre les années 2001-2002 et 2012-2013, alors que ces fonds ont été réduits, et 2013-2014 alors qu'ils ont été éliminés complètement. Les chiffres ne comprennent pas les fonds de production ou les crédits d'impôt attribués aux productions de la SRC.

Amorcée en 1994-1995, la réduction dramatique du budget alloué par le gouvernement Chrétien allait se poursuivre jusqu'en 1998-1999.

Robert Rabinovitch est familier du dossier de Radio-Canada. Avant d'en devenir le PDG en 1999, il avait été haut fonctionnaire du gouvernement canadien de 1968 à 1986, notamment sous-ministre aux Communications de 1982 à 1985. Il connaît donc Radio-Canada depuis longtemps. L'ancien président a commenté ainsi ce tableau :

> Si le tableau commençait dans les années 1970, je crois que vous constateriez que le budget de CBC/Radio-Canada n'a connu aucune hausse réelle depuis 1976, et nous savons tous ce qui s'est passé cette année-là, y compris les déclarations de Pierre Trudeau selon lesquelles il allait mettre la Société en tutelle si elle ne cessait pas ses comportements séparatistes. Il suffit de dire que tous les gouvernements ont voulu saigner CBC/Radio-Canada jusqu'à la dernière goutte. Au début, nous n'avons pas protesté contre les coupes et nous les avons absorbées. Mais aujourd'hui, il n'est plus possible de piller nos ressources sans affecter les contenus. La seule exception à tout ça, ce sont les 60 millions que nous avons réussi à obtenir pour la programmation dans les années 2000 et, même ça, c'était vraiment contre la volonté de Chrétien[14].

Voilà en résumé l'histoire budgétaire de Radio-Canada au cours des dernières décennies, avant l'arrivée de l'actuel président, Hubert T. Lacroix. Comme le souligne Robert Rabinovitch, il faudrait, pour mieux préciser l'exercice, remonter aux années Trudeau, lorsque ce dernier avait voulu mettre au pas Radio-Canada, qui faisait selon lui trop de place

---

14. Robert Rabinovitch, courriel du 3 juin 2014. Je traduis.

au discours « séparatiste ». Le combat politique de l'époque avait laissé des traces. Par la suite, sous le gouvernement conservateur de Brian Mulroney, les baisses ont été plus légères que celles qui se sont succédé à compter de 1994. En effet, il faut insister sur l'importance des décisions du gouvernement libéral de Jean Chrétien à l'encontre de CBC/Radio-Canada. Le seul moment d'égarement, pourrait-on dire, est survenu lorsque Robert Rabinovitch a pu obtenir un montant additionnel de 60 millions, lequel devait être renégocié chaque année. Un arrangement financier obtenu par l'intermédiaire de sous-ministres et découvert après coup par Jean Chrétien.

Parmi les gouvernements antérieurs à celui de Stephen Harper, c'est celui de Jean Chrétien qui a fait le plus mal à la société d'État. Disons que sa lutte déterminée contre le déficit fédéral a fait des victimes. Entre 1995 et 2000, les compressions imposées étaient de l'ordre de 400 millions.

La chute a été si brutale qu'en 1997, dans un geste sans précédent, les anciens présidents de Radio-Canada Al Johnson, Pierre Juneau, Tony Manera et Laurent Picard ont lancé un cri d'alarme.

> Le pouvoir d'achat représenté par la contribution du gouvernement au financement de Radio-Canada a diminué de 38 % depuis 1985 [...]. Le Canada dépense actuellement beaucoup moins pour la radiodiffusion publique que la majorité des pays développés : 32 $ par habitant cette année, pour desservir ce vaste pays. À titre d'exemple, rappelons que la Belgique dépense 58 $, le Royaume-Uni, 60 $, le Japon, 56 $ et la Suisse, 109 $[15].

---

15. Al Johnson, Pierre Juneau, Tony Manera et Laurent Picard, *La Presse*, 25 janvier 1997.

L'intervention des anciens présidents a été chaudement accueillie par la direction et les employés de Radio-Canada. D'autant plus que tous constataient que cette importante baisse du budget comportait un effet pervers que les anciens présidents n'ont pas manqué de relever.

> Le manque à gagner que subit Radio-Canada l'oblige à maintenir un tel niveau de publicité commerciale, pour financer ses télévisions françaises et anglaises, que ses choix en matière de programmation en sont inévitablement faussés[16].

Depuis, les fins observateurs ont conclu avec justesse que l'indépendance du diffuseur public est bien plus menacée par les interventions directes sur le budget que par de quelconques ingérences politiques dans la programmation. L'intervention la plus efficace n'est-elle pas de couper les vivres ?

Le directeur général de l'information de 1991 à 2003, Claude Saint-Laurent, affirme avec conviction : « Il n'y a jamais personne en douze ans qui soit intervenu ni directement ni indirectement, tant au provincial qu'au fédéral, dans mes décisions et ma gestion du Service de l'information[17]. »

Il reconnaît qu'il y a eu, bien sûr, certains moments où les critiques ont été très dures contre Radio-Canada – par exemple, lors du référendum de 1995 –, « mais jamais d'interventions directes ou indirectes exercées sur moi », ajoute-t-il.

En revanche, il a vécu les compressions budgétaires des deux gouvernements, conservateurs comme libéraux. « J'ai été douze ans directeur général de l'information télé, et aucun gouvernement n'a épargné Radio-Canada[18] ! »

---

16. *Ibid.*

17. Claude Saint-Laurent, entretien téléphonique du 21 janvier 2014.

18. *Ibid.*

La meilleure façon d'influencer Radio-Canada, c'est de réduire les fonds gouvernementaux et de rappeler, chaque année, que le nerf de la guerre, c'est le pouvoir politique qui le détient. Le gouvernement libéral de Jean Chrétien ne s'est pas privé d'user de ce pouvoir. C'est ce qui a fait dire à l'éditorialiste de *La Presse* Pierre Gravel :

> Tous les premiers ministres canadiens en ont sans doute rêvé. En tout cas, Brian Mulroney aurait bien voulu, en son temps, avoir la tête du président Pierre Juneau. Et avant lui Pierre Trudeau, qui menaçait de fermer complètement la boîte et de ne montrer qu'une exposition de vases chinois à la télévision. Mais c'est peut-être finalement Jean Chrétien qui y arrivera. Rien ne semble, en effet, devoir stopper Ottawa dans sa récente offensive visant à accroître son pouvoir d'exercer des pressions sur la direction de la société d'État[19].

De son côté, le porte-parole du groupe Les Amis de la radiodiffusion canadienne, Ian Morrison, déclarait en avril 1999 : « Je pense que nous avons des raisons de croire que Jean Chrétien est le premier ministre le plus hostile à la CBC qu'il soit possible de trouver depuis la création de celle-ci par Mackenzie King en 1936[20]. »

Il vaut la peine de rappeler brièvement un incident, survenu sous le gouvernement de Jean Chrétien, qui concernait plus spécifiquement nos collègues de CBC.

Lors du sommet de l'Organisation de coopération économique Asie-Pacifique (APEC) à Vancouver en 1997, le directeur des communications de Jean Chrétien, Peter

---

19. Pierre Gravel, « De nouveaux vases chinois » (éditorial), *La Presse*, 18 novembre 1998.

20. Graham Fraser, « Fear and Loathing for the CBC », *The Globe and Mail*, 10 avril 1999. Je traduis.

Donollo, avait pris à partie le journaliste de CBC Terry Milewski. Dans une plainte officielle, il accusait ce dernier d'avoir fait une couverture « biaisée » et de s'être fait le complice des manifestants. Il faut dire qu'il est extrêmement rare dans l'histoire de Radio-Canada qu'une plainte officielle émane directement du bureau du premier ministre. Peter Donollo reprochait entre autres au journaliste d'avoir échangé des courriels avec les manifestants qui avaient dénoncé la venue au pays du dictateur indonésien Haji Mohamed Suharto. Les manifestants avaient été généreusement « assaisonnés » de poivre de Cayenne par les policiers. L'affaire, qu'on a baptisée « Peppergate », a pris de longs mois avant de se conclure.

Finalement, en 1999, l'ombudsman du réseau français, Marcel Pépin, qui avait hérité du dossier, a répondu à la plainte :

> Enfin le rôle, voire le mandat du directeur des communications du Cabinet du premier ministre est de s'assurer que le message de ce dernier, sur quelque sujet que ce soit, attire l'attention de la presse et qu'il soit traité sous l'angle souhaité par ses services. Dans le cas qui nous occupe, c'est le Cabinet du premier ministre, donc le premier ministre lui-même, devons-nous conclure, qui n'aime pas la façon dont le journaliste de la CBC Terry Milewski a couvert le sommet de l'APEC ainsi que les mesures de sécurité qui ont été prises à cette occasion et les conséquences qui en ont découlé depuis[21].

Après avoir donné une leçon de journalisme et une explication de ce qui constitue une presse libre et indépendante, l'ombudsman a blanchi le journaliste.

---

21. Bureau de l'ombudsman des Services français de Radio-Canada, Montréal, le 19 mars 1999.

Tapis rouge pour la publicité

En 1997-1998, la gestion de Radio-Canada était devenue intenable. La situation était telle qu'on ne peut reprocher à la direction de ne pas avoir tout tenté pour sauver les meubles. Avec prouesse, des gestionnaires de la programmation cherchaient, autant que possible, à concilier le mandat du service public avec les compressions budgétaires. Mission impossible, diront certains.

On a donc confié à la firme McKinsey la mission de faire un sévère examen de la situation financière et de la gestion de Radio-Canada. Résultat : des stations régionales seraient affectées, certains services abolis et plusieurs centaines d'employés seraient poussés vers la retraite. Que restait-il comme choix à la direction de Radio-Canada pour combler le manque à gagner qui subsistait ? Elle s'est inévitablement rabattue sur la recherche de nouveaux revenus, donc vers plus de publicité commerciale, comme l'avaient écrit en 1997 les anciens présidents de Radio-Canada.

Ce qui avait alors amené Al Johnson, Pierre Juneau, Tony Manera et Laurent Picard à conclure :

> Nous considérons qu'il est crucial pour le Canada que le gouvernement revienne à sa propre philosophie au sujet de l'importance plus grande que jamais de la culture au Canada, et du rôle central d'une Société Radio-Canada solidement établie et adéquatement financée. Le premier pas dans cette direction consisterait à supprimer les compressions additionnelles prévues pour 1997 et 1998[22].

----

22. Al Johnson, Pierre Juneau, Tony Manera et Laurent Picard, *La Presse*, le 25 janvier 1997.

La présidence de Robert Rabinovitch

C'est dans ce contexte de morosité qu'en février 1997 je suis devenu l'un des cadres du Service des nouvelles radio de Radio-Canada. Comme journaliste et réalisateur, j'avais souvent critiqué les patrons. Le défi était de tenter de faire mieux. Je n'ai jamais regretté ma décision. J'ai eu la chance de partager ma passion du service public avec des gens formidables, autant les employés que les collègues cadres.

En 1999, le vice-président de la radio française, Sylvain Lafrance, me proposait de devenir directeur de l'information pour la radio. Cette même année, Robert Rabinovitch devenait président-directeur général de Radio-Canada.

Rabinovitch est un passionné du service public et un amoureux de Montréal, ce qu'il ne manque jamais de signaler. L'homme est d'une intelligence supérieure, il est cultivé, déterminé et sans prétention. Il affiche toujours un visage expressif et semble constamment en train de réfléchir, d'évaluer une situation ou les gens qu'il rencontre. Quand il discute avec un interlocuteur, il ne détourne jamais le regard. En prime, il a un très grand sens de l'humour.

Robert Rabinovitch est un fin connaisseur du monde des communications et de l'appareil gouvernemental. Il s'est toujours défini comme un commis de l'État. En ce qui concerne Radio-Canada, il a sans cesse insisté sur l'indépendance de l'entreprise. Pour lui, Radio-Canada est un service public, pas un service d'État. En d'autres mots, la radiodiffusion publique ne doit pas servir la propagande étatique ou gouvernementale. C'est pourtant Jean Chrétien qui l'a nommé à la présidence de Radio-Canada. Robert Rabinovitch raconte que le premier ministre l'a même trouvé téméraire d'accepter un tel mandat. Mais le nouveau président était fier de se joindre à une grande institution.

Sa nomination a été bien reçue. Dans son éditorial du 20 octobre 1999, Mario Roy, de *La Presse*, saluait l'arrivée de Robert Rabinovitch et écrivait : « si on le sait proche des libéraux fédéraux, on le dépeint aussi comme possédant une grande indépendance d'esprit, ce qui laisse présumer de sa capacité à résister aux pressions politiques[23] […] ».

Mario Roy a vu juste, je peux en témoigner. J'ai côtoyé Robert Rabinovitch durant tout son mandat à la présidence. Pour ma part, j'ai occupé lors de la même période les rôles de directeur de l'information radio puis de directeur général de l'information (Services français). Jamais aucune pression n'est venue de sa part. Mieux encore, je l'ai constamment entendu souligner l'importance de l'étanchéité de Radio-Canada vis-à-vis du pouvoir politique.

Dans une entrevue au *Toronto Star* le 19 octobre 1999, le nouveau président déclarait :

> Soyons francs : en fin de compte, si le gouvernement et l'organisme réglementaire [le CRTC] veulent tuer la Société Radio-Canada, ils peuvent le faire. Mon travail, c'est d'essayer de leur donner de bonnes raisons pour qu'ils ne le fassent pas[24].

Cet ancien sous-ministre des Communications à l'époque de Pierre Trudeau connaissait bien le milieu politique à Ottawa et il avait ses entrées auprès d'un proche conseiller de Jean Chrétien. Il ne s'en est jamais caché, il est un ami d'Eddie Goldenberg, conseiller politique principal puis chef de cabinet du premier ministre. Cela ne l'a pas empêché de tirer de sa vaste expérience dans la haute fonction publique

---

23. Mario Roy, « SRC, l'heure des choix » (éditorial), *La Presse*, 20 octobre 1999.

24. Antonio Zerbisias, « CBC's New Chief Wins Top Ratings All Around », *Toronto Star*, 19 octobre 1999, p. A1. Je traduis.

fédérale cette notion de service public, ce qui pour lui est incompatible avec l'idée de partisanerie[25].

L'article du *Toronto Star* du 19 octobre 1999 ajoute : « Il est par excellence le fonctionnaire qui a réussi à gérer pour le gouvernement des dossiers parmi les plus épineux[26]. »

De fait, il s'est toujours fait un devoir de garder une saine distance entre le pouvoir politique et Radio-Canada.

> Je n'ai jamais discuté de programmation avec le Cabinet du premier ministre ni avec le ministre responsable de la Société Radio-Canada et la plupart de ces gens étaient suffisamment respectueux pour ne pas soulever de questions de programmation quand je les croisais lors d'un événement[27].

Avant sa nomination, l'indépendance d'esprit de Rabinovitch l'avait même amené à s'associer aux Amis de la radiodiffusion canadienne à titre de conseiller, lorsque ce groupe critiquait les décisions du gouvernement libéral.

Durant toutes ces années à la présidence, Robert Rabinovitch proposait régulièrement des formations sur l'indépendance du service public aux membres du conseil d'administration.

Il se référait souvent à des documents rédigés par Pierre Trudel, professeur à la Faculté de droit de l'Université de Montréal. Ainsi, lors de la réunion du 26 janvier 2006, le vice-président et secrétaire général du conseil d'administration, Pierre Nollet, a fait parvenir une présentation portant le titre

---

25. Robert Rabinovitch avait été nommé sous-ministre des Communications par Francis Fox. Il a occupé ce poste de 1982 à 1985.

26. Antonio Zerbisias, « CBC's New Chief Wins Top Ratings All Around ». Je traduis.

27. Robert Rabinovitch, courriel du 23 février 2014. Je traduis.

CBC and the Arm's Length Relationship. Dans ce texte, on souligne le rôle des membres du CA à cet égard : « Selon la loi, les membres du conseil d'administration incarnent et sont les garants de la protection de l'indépendance du diffuseur public[28]. »

Le document rappelle que le modèle fondé sur l'absence de lien de dépendance entre le pouvoir politique et le service public s'inspire directement de celui de la BBC. Il précise que cette étanchéité constitue un principe fondamental lié à la liberté d'expression et à la tradition démocratique du pays ; que l'on doit s'attendre à encore plus lorsqu'il s'agit du diffuseur public ; et que celui-ci n'est pas au service du gouvernement, mais bien des citoyens.

Dans un autre document destiné aux membres du CA, intitulé *La CBC/Société Radio-Canada et l'absence de lien de dépendance* et préparé par Edith Cody-Rice[29], on rappelle les principes de la radiodiffusion publique en citant le rapport Caplan-Sauvageau à ce sujet : « […] une distinction fondamentale subsiste : il s'agit bien de radiodiffusion publique, non de propagande étatique ou gouvernementale[30] ». Et plus loin :

> […] le radiodiffuseur public bénéficie, en contrepartie, d'un important privilège sans lequel la notion de service public serait dénaturée : l'indépendance. Libre de toute influence politique et financière, il est libre d'exprimer quelque opinion, journalistique ou autre, sans craindre les

---

28. *CBC and the Arm's Length Relationship*, Dossier 2006-00023, p. 28. Je traduis. Le document a été obtenu grâce à la Loi sur l'accès à l'information.

29. Edith Cody-Rice était première conseillère juridique de Radio-Canada à cette époque.

30. Gérard L. Caplan et Florian Sauvageau, *Rapport du Groupe de travail sur la politique de la radiodiffusion*, p. 263.

représailles d'hommes politiques qui préféreraient assurément passer sous silence leurs erreurs ou les méfaits dont leur parti ou eux-mêmes se sont rendus coupables[31].

Enfin, le document fait mention de la loi datant de 1932 créant CBC/Radio-Canada.

En recommandant la création de CBC/Radio-Canada, le comité parlementaire des communications et de la culture a recommandé que la société ait « essentiellement les pouvoirs dont bénéficiait la British Broadcasting Corporation ». Étant donné que l'organisme était créé en tant que radiodiffuseur public, la radiodiffusion dans l'intérêt public, soit le principe fondamental d'indépendance, en devenait la clé de voûte[32].

Un autre document, rédigé de nouveau par Pierre Trudel, illustre la préoccupation constante du président. Il souligne que même les tribunaux ont reconnu que Radio-Canada n'est pas une émanation du gouvernement.

Dans *Société Radio-Canada c. La Reine*, le juge Estey mentionne « la volonté du Parlement de créer un service national de radiodiffusion qui ne soit pas soumis à l'influence du milieu politique, y compris sans doute celle des pouvoirs exécutifs et législatifs, dans la mesure où cette influence peut empiéter sur le bon fonctionnement apolitique de ce service national de radiodiffusion[33] ».

------

31. *Ibid.*, p. 285.

32. Edith Cody-Rice, *CBC/Radio-Canada et l'absence de lien de dépendance*, p. 15. Le document a été obtenu grâce à la Loi sur l'accès à l'information.

33. Pierre Trudel, *Le Pouvoir du gouvernement d'exiger des plans et de donner des directives à la CBC/Société Radio-Canada*, 3 avril 2005, p. 5.

Ce rappel auprès des membres du CA n'est pas inutile et devrait être fait régulièrement. Quelques incidents rapportés dans les prochains chapitres de ce livre le démontrent clairement.

Le document a été obtenu grâce à la Loi sur l'accès à l'information. Pour le texte cité, voir *Société Radio-Canada et al. c. La Reine,* [1983] 1 R.C.S. 339.

CHAPITRE VIII

D'un gouvernement à l'autre

E n 1999, le vice-président de la radio française, Sylvain Lafrance, présentait les membres de son conseil de direction au nouveau président Robert Rabinovitch. Lorsqu'est venu mon tour, il a insisté sur le fait que j'avais, comme ancien président de la FPJQ, fait adopter un guide de déontologie pour la profession journalistique au Québec. Cela a semblé rassurer le nouveau président.

Dès mon premier contact avec Robert Rabinovitch, j'ai eu une bonne impression. Dans mes premiers échanges avec lui, il a insisté sur ma totale indépendance comme directeur de l'information et il a précisé qu'il me faisait confiance pour la suite des choses. Je peux témoigner du fait qu'il a respecté ce principe tout au long de sa présidence.

Les journalistes de Radio-Canada n'ont pas bien connu ce personnage attachant. Malheureusement, ils ont surtout retenu de lui les difficiles relations de travail sous sa présidence, marquée par les lock-out contre le syndicat des techniciens (STARF) en 2001 et celui des communications (SCRC) en 2002. C'est dommage, parce qu'il a accompli des réformes administratives importantes et avait une très haute conception de son rôle sur le plan de la défense de l'institution. En cela, il a été exemplaire.

Il n'y a que peu d'exemples de PDG de Radio-Canada qui ont fait preuve d'indépendance vis-à-vis du pouvoir politique. La plupart se sont comportés comme des fonctionnaires, presque comme des exécutants. Ainsi, les deux prédécesseurs de Robert Rabinovitch, Gérard Veilleux et Perrin Beatty, n'ont guère protesté contre les compressions qui leur étaient imposées.

Il faut également souligner la détermination de Robert Rabinovitch à faire de Radio-Canada une entreprise où les francophones peuvent travailler dans leur langue, y compris au sein de la haute direction, une situation qui s'est détériorée par la suite. « Je vous trouve trop généreux, vous les francophones, d'accepter de vous plier à l'unilinguisme des anglophones dans les réunions », m'a-t-il dit un jour en sortant d'une réunion conjointe avec la direction de CBC.

Des alliés dans le monde politique

Lorsque Robert Rabinovitch en est devenu le PDG, Radio-Canada pouvait encore compter sur quelques alliés au Parlement canadien. Clifford Lincoln (PLC) était un de ceux-là. Il présidait le Comité permanent du patrimoine canadien à la Chambre des communes, comité formé entre autres de Liza Frulla (PLC), Carole-Marie Allard (PLC), Christiane Gagnon (BQ), Wendy Hill (NPD) et Jim Abbott (Alliance canadienne puis PC). Le comité avait rendu public un rapport qui est malheureusement resté lettre morte. Ce texte contenait pourtant des pistes intéressantes pour garantir l'avenir de CBC/Radio-Canada. « Il proposait entre autres le concept de souveraineté culturelle pour le Canada, un concept qui aurait été très novateur au Canada anglais[1] », m'a expliqué l'ancienne ministre du Patrimoine Liza Frulla. En ce qui concerne Radio-Canada, l'appui était sans équivoque. On le constate, par exemple, dans les recommandations suivantes :

---

1. Liza Frulla, entretien du 11 juin 2014.

6.1 : Le Comité recommande que le Parlement accorde à la SRC un financement pluriannuel stable (3 à 5 ans) afin de lui permettre de remplir son mandat tel qu'il est énoncé dans la *Loi sur la radiodiffusion.*

[…]

6.3 : Le Comité recommande que la SRC présente au Parlement un an après le dépôt du présent rapport un plan stratégique, accompagné d'une estimation des ressources nécessaires, sur les mesures qu'elle entend prendre pour remplir son mandat de radiodiffuseur public et : a) offrir une programmation locale et régionale ; b) atteindre ses objectifs en matière de programmation canadienne ; c) présenter une programmation des nouveaux médias.

[…]

17.3 : Le Comité est en faveur d'une augmentation du financement accordée aux initiatives visant à accroître la diversité de la radiodiffusion canadienne. Le CRTC, la SRC et le Fonds canadien de télévision devraient rechercher des moyens pour faire en sorte que leurs politiques et leurs procédures reflètent la nécessité d'accroître la diversité[2].

On ne pouvait en espérer tant en 2000. Plusieurs d'entre nous se sont mis à rêver…

Une dissidence prémonitoire

Dommage ! Encore une fois, personne n'a saisi la balle au bond au sein du gouvernement. Après le rapport Caplan-Sauvageau et le rapport Juneau, un rapport de plus a été

---

2. Comité permanent du patrimoine canadien, *Notre souveraineté culturelle. Le deuxième siècle de la radiodiffusion canadienne,* Ottawa, 2003, p. 673, 674 et 685, [www.parl.gc.ca/content/hoc/committee/372/heri/reports/rp1032284/herirp02/herirp02-f.pdf].

remisé sur une tablette. Par contre, ce qui était prémonitoire pour Radio-Canada, c'est le rapport dissident du député de l'Alliance réformiste conservatrice canadienne, Jim Abbott. À sa lecture, on comprend mieux pourquoi le service public reçoit aujourd'hui aussi peu d'appuis de la part de l'actuel Parti conservateur, auquel s'est joint Jim Abbott.

Dans son texte de 2003, le dissident alliianciste récitait le credo de son parti.

> Dans son rapport, le Comité peut prétendre que la SRC est essentielle, mais les faits ne le justifient pas. […]
> Étant donné ces réalités, l'Alliance canadienne est convaincue qu'il est temps de réévaluer l'importance de la télévision au sein de la SRC. […]
> Nous réduirions considérablement la subvention de fonctionnement de la SRC en commercialisant son secteur de la télévision. […]
> L'Alliance canadienne envisagerait d'affecter aux programmes de subventions et de crédits d'impôt, nouveaux ou déjà en vigueur, une partie des fonds accordés actuellement au secteur de la télévision de la SRC, l'objectif étant d'appuyer les Canadiens réalisant des films et des émissions pour la télévision[3].

Jim Abbott proposait tout de même de maintenir le financement de la radio de Radio-Canada. Mince prix de consolation…

C'est ce même Jim Abbott qui a été nommé en avril 2006 secrétaire parlementaire du ministère du Patrimoine dans le gouvernement conservateur. Il était donc en partie respon-

---

3.   Jim Abbott, *Rapport dissident de l'Alliance réformiste conservatrice canadienne,* Comité permanent du patrimoine canadien, juin 2003, p. 901.

sable de ce ministère alors dirigé par Bev Oda[4]. Compte tenu des positions antérieures du gouvernement Harper, ce choix donnait déjà une idée des orientations à venir. Questionné à l'époque au sujet du rôle du secrétaire parlementaire Jim Abbott, le Cabinet du premier ministre a répondu laconiquement :

> M. Abbott est le secrétaire parlementaire, donc il a un rôle important à jouer, a expliqué M. Paterson. Mais on n'a pas encore décidé quel rôle il va jouer et de quel dossier il va s'occuper[5].

> Nous étions rassurés…

À mon tour de garder les buts

C'est peu après les élections de 2006 que j'ai été nommé directeur général de l'information des Services français pour la radio et la télévision. J'avais mentionné au personnel que durant mon mandat j'allais insister sur deux axes en particulier. Je souhaitais d'abord offrir plus d'information internationale sur toutes nos plateformes. Qui d'autre que la radiotélévision publique, avec ses nombreux experts en information internationale, peut proposer une telle ouverture sur le monde ? À mon avis, c'était le meilleur service à rendre aux francophones d'ici.

J'avais ajouté que j'entendais privilégier le journalisme d'enquête. J'ai donc mis sur pied une équipe spécialisée dans

---

4. Bev Oda a été mutée à la Coopération internationale en 2007 après qu'on eut découvert qu'elle avait effectué des dépenses excessives lors de certains déplacements.

5. Paul Cauchon, « Radio-Canada est dans la mire des conservateurs », *Le Devoir,* 21 avril 2006.

ce domaine de même que l'émission *Enquête*. Dans tout ce que j'ai accompli à Radio-Canada, c'est la source de ma plus grande fierté.

L'impact des enquêtes journalistiques de Radio-Canada a été salué par la profession journalistique et la critique, notamment par l'association Canadian Journalists for Free Expression (CFJE), en 2012.

L'acte manqué de Christine St-Pierre

La vie d'un directeur de l'information est toujours remplie de surprises. Ainsi, tôt le matin du 7 septembre 2006, j'ai failli m'étouffer en buvant mon café. Dans le courrier des lecteurs de *La Presse,* mon attention a été attirée par un texte d'appui à la poursuite de la présence militaire canadienne en Afghanistan, un débat important dans l'actualité en 2006.

> Des voix s'élèvent pour réclamer votre retour au pays. Moi je dis de grâce non. […] Au péril de votre vie, vous êtes là pour empêcher que le régime de terreur des talibans ne reprenne le contrôle. Nous ne devons pas oublier les exécutions publiques, la faim, les viols, les petites filles bannies de l'école, les femmes condamnées à porter l'horrible burqa[6]…

Le texte était signé par une dénommée Christine St-Pierre.

S'agissait-il de notre correspondante parlementaire à Ottawa, celle-là même à qui Radio-Canada demandait entre autres de couvrir les activités parlementaires en matière de défense et d'affaires extérieures ?

---

6. Christine St-Pierre, courrier des lecteurs, *La Presse,* 7 septembre 2006.

Vérification faite, c'était bien elle. La journée allait être fort remplie…

Christine St-Pierre était une journaliste d'expérience. Elle savait fort bien qu'elle venait de prendre parti dans un débat controversé et ainsi de renoncer à couvrir le dossier de la participation militaire du Canada en Afghanistan. Après l'avoir suspendue quelques jours avec salaire, le temps de faire les vérifications nécessaires, j'ai décidé de la retirer de son poste de correspondante parlementaire et de la réaffecter pour quelque temps à d'autres responsabilités. Au cours des semaines suivantes, elle a produit un document historique pour la série *Tout le monde en parlait* à propos du conflit de travail au Manoir Richelieu en 1986.

Christine St-Pierre comprenait fort bien la situation. Son geste – cet acte manqué, peut-on dire – s'inscrivait sans doute dans sa réflexion personnelle sur son avenir comme journaliste. Il est parfois difficile de composer avec son devoir de neutralité quand on est à Radio-Canada. De fait, six mois plus tard, je n'étais pas surpris de la voir faire le saut en politique comme candidate du Parti libéral du Québec. Elle a été élue le 26 mars 2007 et elle est devenue ministre de la Culture, des Communications et de la Condition féminine dans le gouvernement Charest. En avril 2014, le premier ministre Couillard l'a nommée ministre des Relations internationales et de la Francophonie.

C'est lors de la campagne électorale de 2007 qu'un autre journaliste, Bernard Drainville, est lui aussi entré en politique comme candidat pour le Parti québécois. Radio-Canada avait donc deux journalistes dans la course, un péquiste et une libérale. À la blague, je me promenais entre les bureaux au Centre de l'information en invitant d'autres journalistes à faire vite et à plonger dans la campagne, idéalement pour l'Action démocratique du Québec (ADQ) de Mario Dumont : « Comme ça, je pourrai dire que nous reflétons tous les courants politiques à Radio-Canada. » J'ai récemment découvert qu'un de nos anciens journalistes, Alexandre Lahaie, est devenu conseiller et responsable des communications de Chantal Soucy, la députée caquiste (Coalition Avenir Québec) de Saint-Hyacinthe. Le tableau est quasi complet.

On a souvent accusé Radio-Canada d'être un « nid de séparatistes ». J'ai toujours trouvé l'accusation ridicule tout autant que le reproche inverse qui suppose que la société d'État se fait la porte-parole du fédéralisme.

À mon avis, le personnel du diffuseur public doit être composé de journalistes et de créateurs issus des différents courants de la société et non d'un seul. Ce personnel doit refléter la société telle qu'elle est, sous peine de distordre la réalité à l'antenne.

Je sais fort bien que les journalistes de Radio-Canada représentent la plupart des courants politiques. Et c'est tant mieux ainsi. C'est lorsque plusieurs points de vue sont défendus dans une réunion de préparation d'émission qu'on arrive au meilleur équilibre en ondes.

Les critiques fédéralistes de Radio-Canada font toujours les gorges chaudes lorsque des journalistes quittent l'entreprise pour devenir candidats du Parti québécois. Cela a été le cas récemment avec Bernard Drainville, Pierre Duchesne et Raymond Archambault. Mais on oublie Christine St-Pierre de même que d'autres cas plus anciens comme celui de l'animateur Robert Desbiens, qui s'était porté candidat pour le Parti libéral du Canada, ou celui de la journaliste Hélène Narayana, qui s'était jointe aux néo-démocrates vers la fin des années 1980.

Un appel du bureau du premier ministre

Quelques jours après la publication de cette lettre de Christine Saint-Pierre, je recevais, pour la première fois en tant que directeur de l'information, un appel du bureau de Stephen

Harper. Un membre de son bureau souhaitait m'informer que le premier ministre allait dénoncer la direction de Radio-Canada pour avoir suspendu la journaliste Christine Saint-Pierre en raison de ses propos favorables au maintien des troupes canadiennes en Afghanistan. Stephen Harper désapprouvait cette suspension. Étonné de cet appel, j'ai pris bien soin de préciser que le premier ministre ne devait pas utiliser l'expression « avoir suspendu », car elle n'était pas conforme aux faits. La journaliste allait plutôt être réaffectée, sous peu, à un autre dossier, parce que je considérais qu'elle avait enfreint son devoir de neutralité comme correspondante parlementaire.

Quelques minutes plus tard, lors de son point de presse, le premier ministre Harper s'est mis, de fait, à critiquer les médias qui interdisaient aux journalistes d'exprimer leur appui à l'intervention canadienne en Afghanistan. Le patriotisme avant le journalisme ? Ce n'était pas mon style, mais je découvrais celui du premier ministre.

Sur ces entrefaites, j'ai croisé le président Rabinovitch et l'ai informé de cet appel. En guise de réponse, il a esquissé un sourire et m'a tout simplement répondu : « Je vous laisse gérer ce dossier, je vous fais confiance. »

C'était la bonne attitude à adopter pour un président de Radio-Canada. Ne pas paniquer lorsque le pouvoir politique critique les décisions des gestionnaires de la programmation et du Service de l'information. Respecter la saine étanchéité entre le pouvoir politique et le service public. Comme responsable de l'information, j'étais rassuré de pouvoir compter sur un président qui optait pour une telle attitude et de tels principes. Autrement, on risquait d'ouvrir la porte à l'ingérence politique, d'être tenté de ménager le pouvoir politique et, ultimement, de perdre son sens critique.

Ce ne serait pas le seul exemple de collision entre le bureau du premier ministre et la direction de l'information.

Une enquête qui dérange

Une année après l'élection de Stephen Harper, un autre différend a opposé le bureau du premier ministre au Service de l'information de Radio-Canada.

Le 17 janvier 2007, nous avions diffusé un dossier percutant du journaliste Guy Gendron portant sur les sables bitumineux. Il dévoilait notamment le contenu d'un rapport produit par le ministère canadien des Ressources naturelles et présenté lors d'une rencontre de l'industrie pétrolière nord-américaine tenue à Houston. La rencontre avait eu lieu le lendemain de l'élection du gouvernement Harper. Le rapport précisait la politique du gouvernement qui, de façon claire, prévoyait la multiplication par cinq de la production de pétrole extrait des sables bitumineux. En outre, le rapport recommandait la simplification du processus d'approbation environnementale pour les projets énergétiques.

Dès le lendemain de la diffusion d'une version abrégée du reportage au *Téléjournal* de fin de soirée, Dimitri Soudas, l'attaché de presse du premier ministre, envoyait un courriel à la direction des nouvelles : « Je vous demande de retirer ce que la SRC a insinué au *Téléjournal* d'hier soir. » Il y précisait que la rencontre de Houston avait été organisée plusieurs semaines avant l'élection du gouvernement Harper, donc sous le gouvernement libéral de Paul Martin, ce qui était exact. Le reportage de *Zone libre enquêtes,* intitulé « Du sable dans l'engrenage » et dont la version complète allait être diffusée le lendemain, ne disait pas le contraire. Cependant, deux textes de présentation préparés pour la première diffusion au *Radiojournal* contenaient une erreur et associaient le rapport au seul gouvernement Harper. Une mise au point s'imposait. Nous n'avons pas hésité à en diffuser une.

En revanche, nous savions que le nouveau gouvernement conservateur de Stephen Harper accordait une grande importance au développement de l'exploitation des sables bitumineux. Notre dossier était fort bien documenté. Nous avions comme sources des extraits du discours prononcé par le premier ministre Harper devant l'Economic Club, à New York :

> La production des sables bitumineux de l'Alberta – les secondes réserves établies de la planète – s'établit à plus d'un million de barils par jour et atteindra les quatre millions d'ici 2015[7].

Ce discours a ensuite été repris en chœur par plusieurs de ses ministres, dont le ministre des Ressources naturelles Gary Lunn, le 17 janvier, en conférence de presse. Voici un extrait de sa déclaration :

> Beaucoup d'entre vous le savent, les sables bitumineux constituent sans contredit la deuxième découverte pétrolière en importance dans le monde. Le Canada abrite la deuxième réserve pétrolière en importance dans le monde. Et comme nous voyons une possibilité d'augmenter la production d'un million de barils par jour jusqu'à quatre ou cinq, nous devons faire mieux. Je crois qu'il est très prometteur d'utiliser l'énergie nucléaire pour extraire le pétrole des sables bitumineux. Il n'y a pas d'émissions avec l'énergie nucléaire, elle n'émet pas de gaz à effet de serre, pas de polluants. Il s'agit d'une occasion à saisir. Nous avons brûlé beaucoup de gaz naturel pour extraire le pétrole des sables. Ce serait une excellente option de poursuivre avec l'énergie nucléaire. C'est une idée qui me séduit beaucoup. En ce qui concerne le système de taxa-

---

7. Stephen Harper, *Discours prononcé devant l'Economic Club de New York,* le 20 septembre 2006, [www.pm.gc.ca/fra/ nouvelles/2006/09/20/discours-prononce-devant-leconomic-club- de-new-york].

tion et les investissements, ce sont des choses que le ministre des Finances devra examiner. Mais je crois que nous voulons encourager les compagnies à investir dans des technologies capables de réduire radicalement les émissions de gaz à effet de serre et d'avoir un effet bénéfique notable pour l'environnement[8].

On pouvait certainement parler d'une politique gouvernementale.

Même si notre dossier était indiscutablement d'intérêt public, le bureau du premier ministre ne l'entendait pas ainsi. C'est qu'il ne contrôlait pas le message sur sa politique énergétique. Aussi, le 23 janvier, dans un geste rare, la directrice des communications du Cabinet du premier ministre, Sandra Buckler, envoyait une plainte officielle à l'ombudsman de Radio-Canada, Renaud Gilbert. La direction des communications du premier ministre lançait en même temps un mot d'ordre à tous les élus conservateurs de boycottage général des demandes d'entrevue formulées par tous les journalistes de Radio-Canada à travers le pays pour quelques jours. Même les journalistes des stations régionales étaient « punis ». Du jamais-vu !

Il n'était certainement pas question de nous défiler devant nos responsabilités. Nous avons fait notre devoir, comme d'habitude. Vérification du reportage, point par point, vérification des reportages subséquents, rédaction de quelques ébauches de réponse, le tout sans paniquer et sans que quiconque de la haute direction vienne se mêler du dossier.

À cette époque, la guerre entre Radio-Canada et le groupe Québecor battait son plein. Pierre Karl Péladeau menait une lutte sans merci contre le diffuseur public. Il avait

---

8.   La version originale se trouve à l'annexe II.

intenté un procès contre le vice-président Sylvain Lafrance lorsque ce dernier avait qualifié de comportement « voyou » la décision de Québecor de se retirer du Fonds canadien des médias. Il faisait du lobbying auprès du CRTC contre Radio-Canada, qui souhaitait obtenir une plus large contribution des distributeurs (satellite et câble). Enfin, ses médias ne rataient jamais une occasion de dénigrer la direction de Radio-Canada en publiant une multitude d'articles négatifs contre le diffuseur public.

Le groupe Québecor s'était entre autres servi de la Loi sur l'accès à l'information pour demander d'innombrables documents à Radio-Canada dans l'espoir de découvrir un gaspillage de fonds publics !

De plus, Pierre Karl Péladeau avait ses entrées auprès du premier ministre canadien. Il avait développé de bons liens avec Kory Teneycke, le directeur des communications de Stephen Harper de 2008 à 2010. C'est grâce à lui qu'en 2009 le couple Julie Snyder/Pierre-Karl Péladeau a été reçu en privé par le chef d'État à sa résidence du 24, promenade Sussex.

Dans un tel contexte, il ne faut pas s'étonner que le bras de fer entre la direction générale de l'information de Radio-Canada et Sandra Buckler du Cabinet du premier ministre ait été suivi d'une campagne de dénigrement de la part du *Journal de Montréal* envers le diffuseur public.

Ainsi, le 25 janvier 2007, le journaliste Dany Bouchard y allait d'une phrase assassine : « En coulisse, on chuchote que le reportage de Radio-Canada pourrait être une vengeance à l'égard du gouvernement Harper qui a donné le feu vert à la révision du mandat et du financement de la société d'État[9]. »

---

9. Dany Bouchard, « Plainte de Stephen Harper : à Radio-Canada, on fait le mort… », *Le Journal de Montréal*, 25 janvier 2007, [fr.canoe.ca/divertissement/tele-medias/nouvelles/2007/01/25/3445862-jdm.html].

Cette accusation était odieuse et sans fondement. L'équipe[10] qui avait produit le reportage a officiellement porté plainte contre *Le Journal de Montréal* et Dany Bouchard devant le Conseil de presse du Québec.

Entre-temps, le 1er février, nous avons fait parvenir notre réponse officielle à la plainte de la directrice des communications du Cabinet du premier ministre. Nous y soutenions évidemment le reportage et le travail de l'équipe de *Zone libre enquêtes* tout en reconnaissant une erreur, soit de nous être trompés dans la date d'assermentation de la ministre Rona Ambrose. Nous avions en effet mentionné la date du 6 février au lieu de celle du 16 février. Ce n'était certainement pas une raison pour remettre en question l'ensemble du dossier.

Pourtant, la manchette du *Journal de Montréal* en date du 2 février 2007 était tout autre. En première page du cahier « Arts et spectacles » – page 49 –, une immense photo de Stephen Harper faisant la prise de l'ours à la tour de Radio-Canada apparaissait sous le titre : « Reportage de *Zone libre* sur les sables bitumineux. La société d'État reconnaît sa part d'erreurs. Lire en page 55 ». Puis, en page 55, « *Zone libre* : du sable dans l'engrenage. La société d'État reconnaît ses torts ». L'article comprenait trois photos, celle de Stephen Harper, celle de Guy Gendron et la mienne.

Dans cette guerre des médias nouveau genre, tous les coups devenaient permis. C'est ainsi que l'article comportait une citation inexacte, issue d'une version préliminaire de notre réponse, et non de celle que nous avions fait parvenir au bureau du premier ministre. Selon toute vraisemblance, une « taupe » avait procuré cette ébauche au *Journal de Montréal*. Il faudrait dorénavant se méfier davantage.

Le ton était donné. La guerre avec l'empire Québecor, en

---

10. L'équipe était composée du journaliste Guy Gendron, du réalisateur Jean-Luc Paquette et de la recherchiste Monique Dumont.

particulier avec *Le Journal de Montréal* et Sun Media, était bel et bien déclarée.

Le 7 novembre 2007, le Conseil de presse du Québec rendait sa décision dans cette affaire. Il retenait la plainte de l'équipe de *Zone libre enquêtes* à l'encontre du *Journal de Montréal* et de Dany Bouchard sous trois griefs : fausse information, publication de rumeurs non étayées, manquement à la responsabilité de rétablir l'équilibre de l'information.

Par ailleurs, une fois la réponse parvenue à Sandra Buckler, la directrice des communications de Stephen Harper, il ne s'est plus rien passé de ce côté. Pas d'appel auprès de l'ombudsman, donc aucune révision de sa part. En revanche, l'attaché de presse du premier ministre, Dimitri Soudas, s'est mis à surveiller tout ce que nous faisions et il ne se gênait pas pour nous le faire savoir. Les courriels abondants adressés à la direction et aux chefs de notre bureau d'Ottawa en témoignent.

Les interventions d'un attaché de presse

Lors de la campagne électorale qui précédait les élections du 14 octobre 2008, en plus d'être attaché de presse du premier ministre, Dimitri Soudas était aussi son conseiller principal pour le Québec. Fidèle à ses habitudes, il nous écrivait régulièrement. Ainsi, le 28 septembre, il s'en prenait à un type particulier de reportages que nous appelions « l'épreuve des faits » dans nos émissions de nouvelles.

> [...] plusieurs reportages semblent très critiques envers les éléments de programme annoncés par le Parti conservateur du Canada sans l'être autant envers les éléments de réponse avancés par nos adversaires politiques. D'autres semblent relativement sympathiques aux

autres partis plutôt que de présenter l'information de manière factuelle. Voici quelques reportages que vous pourriez analyser (notez que plusieurs sont présentés sous le titre « l'épreuve des faits ») : Coupes en culture (C. Kovacs) – 12 septembre 2008, Pertinence du Bloc (F. Labbé) – 15 septembre 2008, Services de garde (C. Kovacs) – 17 septembre 2008, Jeunes contrevenants (C. Kovacs) – 26 septembre 2008.

Dimitri Soudas était un attaché de presse des plus arrogants. Les journalistes d'expérience dans la couverture du Parlement pourront en témoigner.

Quelques jours avant le déclenchement de la campagne électorale de 2008, il avait insisté pour que nous le recevions à Montréal. Il arrive, en temps de campagne, que nous recevions des représentants des partis politiques afin de connaître leurs stratégies et de planifier les opérations sur le plan logistique. Je n'avais donc aucune objection à ce qu'il rencontre les responsables des nouvelles et de la couverture de la campagne électorale. Par contre, j'avais refusé de participer à cette rencontre. Je n'en avais pas l'obligation. Comme directeur général de l'information, je tenais à garder une saine distance avec le représentant du premier ministre et il n'était pas question que je lui accorde plus d'importance qu'à ceux des autres partis politiques à la veille du déclenchement des élections. J'ai appris par la suite que Dimitri Soudas avait été offusqué de ma décision de ne pas le rencontrer. Le ton était donné pour la suite des choses.

Nous savons que les partis politiques scrutent à la loupe le travail des journalistes du Service de l'information de Radio-Canada. C'est la raison pour laquelle, lors de toutes les élections, j'ai confié au Centre d'études sur les médias, un organisme indépendant et reconnu, la tâche d'évaluer l'ensemble de notre couverture électorale. En 2008, son équipe d'experts chevronnés a conclu que le travail du Service de l'information de Radio-Canada avait été bien accompli durant toute la campagne électorale.

Pour être honnête, il faut tout de même admettre que certaines interventions malheureuses faites par des animateurs de l'extérieur du Service de l'information ont pu donner l'impression que Radio-Canada s'opposait au Parti conservateur. Ainsi, quelques animateurs d'émissions culturelles n'avaient pas hésité à s'associer à une pétition anti-Harper qui dénonçait ses politiques à l'égard de la culture. Encore une fois, il ne s'agissait pas de journalistes ni d'employés qui travaillaient à l'information. À mon avis, ils avaient tout de même manqué à leur devoir de réserve.

L'arrivée d'Hubert Lacroix

Les relations tendues avec le gouvernement conservateur annonçaient des lendemains difficiles pour Radio-Canada et son Service de l'information.

Nommé en 1999, Robert Rabinovitch a terminé son mandat à la présidence à l'automne 2007.

Les tractations allaient bon train afin de lui trouver un successeur. Les plus optimistes souhaitaient que le choix se porte sur une personnalité neutre qui incarnait les valeurs du service public. Le vice-président des Services français, Sylvain Lafrance, a cru pour un temps à ses chances d'être l'heureux élu.

On m'a raconté que sa candidature avait été sollicitée par un agent de recrutement. Celui-ci avait proposé à Sylvain Lafrance, en août 2007, une entrevue qui n'a jamais eu lieu. Le processus a été court-circuité par une intervention de dernière minute. Le jour où l'entrevue devait se tenir, le président du conseil d'administration, Tim Casgrain, a annoncé à Sylvain Lafrance qu'il devait renoncer au poste de président.

À cette époque, l'homme fort du gouvernement conservateur au Québec était le sénateur Michael Fortier[11]. Or il se trouve qu'il connaissait très bien Hubert T. Lacroix. Les deux hommes entretenaient même des relations amicales au point de se fréquenter avec leurs conjointes. Ils ont aussi travaillé ensemble dans certains conseils d'administration et étaient tous deux avocats dans les milieux d'affaires. Selon certaines sources, c'est Michael Fortier qui a recommandé Hubert T. Lacroix pour le poste. La nomination a été annoncée par la ministre du Patrimoine d'alors, Josée Verner.

Pour la petite histoire, j'ai un jour appris une anecdote savoureuse. Ce n'était pas la première fois qu'Hubert Lacroix et Sylvain Lafrance étaient en compétition l'un contre l'autre. En 2005 déjà, Hubert Lacroix avait déposé sa candidature pour devenir vice-président du réseau français de Radio-Canada sous le président Rabinovitch. Le poste était à pourvoir depuis le départ de Daniel Gourd[12]. Cette fois-là, c'est Sylvain Lafrance qui l'avait emporté. Il s'agit probablement du point de départ des relations difficiles entre les deux hommes.

Dans la lettre qui accompagnait le dossier de synthèse destiné à son successeur, Robert Rabinovitch a encore une fois insisté sur un point majeur :

> CBC/Radio-Canada est une grande organisation, complexe et créative. Il lui arrive d'être frustrante, mais elle est toujours stimulante. Je suis fier d'avoir dirigé cette institution unique, d'une importance critique, et je suis sûr que vous ressentirez la même fierté.

---

11. Michael Fortier a été sénateur et ministre dans le gouvernement Harper de février 2006 à septembre 2008. Il a démissionné du Sénat pour se présenter aux élections de septembre 2008. Il n'a pas été élu, ce qui a mis fin à sa carrière politique.

12. Daniel Gourd a été vice-président de la télévision française de juillet 2002 à novembre 2005.

Il y a une question en particulier qui m'est très chère et sur laquelle j'aimerais attirer votre attention. Il s'agit de cette relation de saine distance *(arm's length)* avec le gouvernement, qui est partie intégrante de la Loi sur la radiodiffusion. Il est essentiel pour ce pays que la Société préserve son indépendance éditoriale et journalistique contre toutes les pressions extérieures. C'est ainsi seulement que Radio-Canada pourra demeurer un véritable diffuseur public et non un diffuseur d'État.

C'est pour cette raison que la nomination du PDG ne relève pas seulement du bon vouloir du gouvernement[13] et que la Société rend compte de ses activités au Parlement par l'intermédiaire du ministre du Patrimoine[14].

Il y a des moments où certains tentent de raccourcir cette saine distance entre la Société et le gouvernement, mais il faut résister. Ce n'est pas toujours facile, mais cela doit être fait si on veut que le diffuseur public puisse survivre[15].

Cette mise en garde n'était pas de trop.

---

13. En vertu de la loi, cette nomination est soumise à l'approbation du gouverneur en conseil. Loi sur la radiodiffusion, art. 36 (2) : « Est constitué un conseil d'administration composé de douze administrateurs, dont son président et le président-directeur général, nommés par le gouverneur en conseil. »

14. Loi sur la radiodiffusion, art. 40 : « La Société est responsable en dernier ressort devant le Parlement, par l'intermédiaire du ministre, de l'exercice de ses activités. » Notons que le Parlement est un forum plus large que le gouvernement.

15. Lettre de Robert Rabinovitch adressée à Hubert T. Lacroix, président désigné, 13 novembre 2007. Document obtenu grâce à la Loi sur l'accès à l'information. La version originale de la lettre ainsi que sa traduction figurent en intégralité à l'annexe III.

CHAPITRE IX

Le style Lacroix

Hubert T. Lacroix a inauguré son premier mandat à la présidence de Radio-Canada en janvier 2008. Nous avons alors découvert une personnalité très différente de celle de son prédécesseur. Plutôt froid et distant, il insistait pourtant pour se faire appeler par son prénom : « M. Lacroix, c'est mon père ; moi, c'est Hubert », répétait-il sans cesse. Il exigeait aussi que tout le monde le tutoie. Certains y ont vu une marque de simplicité, d'autres ont plutôt éprouvé un réel malaise à pratiquer cette fausse familiarité.

Le nouveau patron était un sportif de haut calibre, il excellait au basket-ball depuis ses années au Collège Brébeuf et à l'Université McGill. Il avait aussi entraîné des équipes d'élite dans cette discipline. C'est d'ailleurs à ce titre que ses premiers contacts avec Radio-Canada s'étaient établis lors des Jeux olympiques d'été de 1984, de 1988 et de 1996. Il avait été embauché comme analyste sportif des compétitions de basket-ball à la télévision et à la radio.

L'homme était aussi un excellent coureur de marathons, ce qui correspondait parfaitement à son allure et à une attitude générale un peu spartiate. D'ailleurs, il en avait contre les situations trop simples. Pour lui, on devait toujours obtenir les choses « à la dure », comme un marathonien sait le faire.

En outre, s'il avait quelques connaissances en matière de médias, il n'en avait aucune en télévision. Comme avocat, il était spécialisé en fusion et acquisition d'entreprises et il avait présidé le conseil d'administration de la Société Télémédia de 2000 à 2005. Celle-ci possédait des radios privées et des magazines d'intérêt général. Il n'avait pas non plus de connaissance particulière du fonctionnement du gouvernement fédéral.

Le personnel de Radio-Canada a longtemps été séduit par le nouveau président. Il se préoccupait des moindres problèmes de tout un chacun et établissait des contacts directs par courriel avec des dizaines d'employés et de cadres intermédiaires. Il gérait l'entreprise tout en intervenant parfois personnellement pour régler une situation depuis longtemps décriée par des employés. Il prenait constamment des notes sur tout et sur rien. En revanche, il affichait une méfiance à l'égard des cadres en poste au sein de la haute direction des Services français, dont je faisais partie. Par exemple, nous avions été informés qu'il était convaincu que les cadres se payaient des lunchs tous les midis aux frais de Radio-Canada. Il est d'ailleurs allé jusqu'à enquêter plusieurs fois sur le sujet, en vain évidemment.

Quelle était sa vision de Radio-Canada comme service public ? À l'époque, Sylvain Lafrance avait été surpris de la première question qu'Hubert Lacroix lui avait posée lors de l'annonce de sa nomination le 19 novembre 2007 : « Pourquoi cette expression : "Radio-Canada, un instrument de démocratie et de culture" ? Que veux-tu dire ? C'est une entreprise, une *business*… »

Lors de ma première rencontre individuelle avec le nouveau président, en janvier 2008, j'avais moi aussi repris ce slogan des Services français qui rejoignait bien ma propre philosophie du service public. Il m'avait dit en faisant la moue : « Oui, oui, Sylvain me parle souvent de ça… »

Dès lors, j'ai compris que nos visions respectives ne s'accorderaient pas.

Le nouveau président n'aimait pas beaucoup l'équipe de direction autour de lui. Il n'appréciait surtout pas que ses vice-présidents lui fassent ombrage. Le vice-président des

Services français, Sylvain Lafrance, était déjà un leader apprécié, bien établi et reconnu pour sa vision éclairée de l'avenir des médias. Il avait réussi à faire augmenter considérablement les parts d'auditoire de la radio et assuré de grands succès à la télévision. À sa manière, le vice-président des services anglais, Richard Stursberg, avait lui aussi une longueur d'avance sur le président par sa connaissance en profondeur de Radio-Canada et du monde des télécommunications, puisqu'il avait été sous-ministre des Communications à l'époque de Marcel Masse. En fait, le nouveau président se demandait à quoi pouvait bien lui servir le fait d'avoir deux vice-présidents ? Quelques mois après sa nomination, il a organisé un lunch avec eux dans un restaurant de Montréal. C'est là qu'il leur a dit : « Finalement, nous sommes trois à faire la même job… » Les vice-présidents ont eu beau tenter de le convaincre de leur utilité et du partage nécessaire des responsabilités, Hubert Lacroix ne voyait pas les choses de la même manière. Ses vice-présidents ont également essayé de définir ce que devait être à leurs yeux le rôle du président. Ils ont notamment expliqué la nécessité qu'une personne ait le mandat de bien représenter Radio-Canada à Ottawa devant tous les partis et les hauts fonctionnaires afin de s'assurer que le rôle du diffuseur public était bien compris. Mais Hubert Lacroix estimait plutôt que son travail était de gérer les opérations courantes… C'était un peu comme s'il avait deux vice-présidents de trop.

Un jour, il a organisé une immense conférence en n'y conviant que des employés savamment sélectionnés. À peine quelques cadres étaient invités. L'objectif était d'avoir un dialogue direct avec les artisans, disait-il. Les employés présents ont été séduits alors que les cadres, eux, ont été plutôt froissés, y voyant clairement la confirmation d'un manque de confiance. Ils n'avaient pas tout à fait tort, car entre 2008 et 2012 la quasi-totalité des cadres supérieurs de la direction des Services français ont été remplacés.

Par ailleurs, lors de sa nomination, on aurait pu s'at-

tendre à ce qu'Hubert Lacroix abandonne ses autres activités pour se consacrer entièrement à la présidence de Radio-Canada[1], tant la tâche était titanesque. Mais, il ne l'entendait pas ainsi.

Il faut souligner que le président-directeur général de Radio-Canada est l'un des hauts fonctionnaires les mieux payés de tous les ministères, agences et sociétés d'État relevant du gouvernement canadien. Selon mes sources, son salaire atteint environ 400 000 $ par année, auxquels peut s'ajouter une prime annuelle de 10 %. Dans l'échelle salariale, ils sont seulement trois ou quatre hauts salariés de la fonction publique à atteindre l'échelon GIC 9. Hubert T. Lacroix est probablement le mieux payé dans cette catégorie. Le plus haut salarié est le gouverneur de la Banque du Canada, le seul à être dans la catégorie GIC 10.

De plus, l'actuel PDG de Radio-Canada détient un avantage additionnel qui n'apparaît nulle part dans les documents officiels reliés à la présidence. Hubert Lacroix a un chauffeur privé. Ce dernier est un résident d'Ottawa, mais il bénéficie d'une allocation de logement pour ses nombreux déplacements, notamment à Montréal, puisque le président travaille presque exclusivement dans cette ville.

Un tel salaire est certes justifié par la lourdeur de la tâche. Les défis d'un PDG de Radio-Canada sont importants et ceux du nouveau président l'étaient peut-être encore davantage, compte tenu du contexte. En effet, nous étions, en 2008, dans l'épicentre de la grande mutation des médias traditionnels. L'ère numérique pulvérisait les habitudes de consommation

---

1.   Ou plutôt, à la présidence de CBC/Radio-Canada, sa nouvelle appellation consacrée lui permettant d'amalgamer les services anglais et français. Hubert Lacroix ne prononce jamais les mots *Radio-Canada* sans leur adjoindre automatiquement le sigle CBC. Pourtant, le texte français de la Loi ne mentionne que le nom français de la Société.

et provoquait déjà l'éclatement des médias traditionnels. Désormais, tous les médias se livraient une compétition féroce sur le même territoire. En 2008, il devenait aussi évident que Radio-Canada n'avait pas la cote auprès du gouvernement et que son budget était de nouveau menacé. Enfin, la concentration des médias au pays avait atteint un sommet, et la guerre entre les groupes faisait rage, ce qui se traduisait au Québec par une lutte entre Radio-Canada et Québecor.

Malgré tout cela, le nouveau président avait quand même obtenu, lors de la signature de son contrat, l'autorisation de poursuivre certaines activités extérieures au sein de deux conseils d'administration.

Pourtant, la loi considère cette importante fonction comme un poste à temps plein. L'article 42 de la Loi sur la radiodiffusion définit ainsi le rôle du président-directeur général :

> Attributions
> 42. (1) Le président-directeur général est le premier dirigeant de la Société ; à ce titre, il en assure la direction et contrôle la gestion de son personnel et peut exercer les autres attributions que lui confèrent les règlements administratifs de la Société.
> (2) La charge de président-directeur général s'exerce à temps plein [2].

Il était déjà arrivé dans le passé qu'on accorde ce type d'autorisation à d'autres présidents. Par exemple, on avait permis à Robert Rabinovitch de demeurer actif au sein du conseil d'administration de l'Université McGill, une fonction non rémunérée, se doit-on de souligner. Cela avait d'ailleurs été mentionné publiquement lors de sa nomination en 1999.

---

2. Loi sur la radiodiffusion.

Pour Hubert T. Lacroix, les choses se sont faites différemment. On n'a connu que plus tard la nature de ses autres « engagements ». Il n'en a pas fait état lors de son entrée en fonction.

Il ne s'agissait d'ailleurs pas du même type de conseil d'administration que celui auquel siégeait Robert Rabinovitch à l'Université McGill. Contrairement à son prédécesseur, Hubert Lacroix était rémunéré pour sa participation, jusqu'en 2011 et en 2012, aux conseils d'administration de deux entreprises très actives sur les marchés financiers.

La première, Fibrek, œuvre dans le secteur des produits forestiers. Il assumait déjà la présidence du CA de l'entreprise depuis 2002. La seconde, Zarlink Semiconducteur, est spécialisée dans le domaine des télécommunications. Il y est resté engagé comme administrateur et président du comité de vérification jusqu'en 2011.

Pour son implication chez Fibrek, Hubert T. Lacroix a été payé, en 2011, 85 250 $, soit 25 250 $ en jetons de présence, 25 000 $ en rémunération annuelle pour son poste d'administrateur et 35 000 $ en rémunération additionnelle pour son rôle de président du CA[3].

Une seconde présidence, donc…

Son engagement auprès de Fibrek l'occupait certainement plusieurs heures par semaine, surtout lorsque l'entreprise a dû faire face à une offre d'achat hostile de la part de Produits forestiers Résolu. Ainsi, à la fin du mois de décembre 2011, Hubert T. Lacroix a mené une longue bataille devant toutes les instances judiciaires[4] possibles pour

---

3. Voir Jean-François Cloutier, « Le patron de Radio-Canada cumule les fonctions », *Argent,* 11 janvier 2012, [argent.canoe.ca/nouvelles/affaires/le-patron-de-radio-canada-cumule-les-fonctions-11012012].

4. Fibrek inc. c. AbitibiBowater (Produits forestiers Résolu), QCCQ

tenter de bloquer cette offre d'achat. Cette bataille a duré plusieurs mois.

Hubert T. Lacroix et tous les autres administrateurs ont dû démissionner en mai 2012 après que l'offre du concurrent Produits forestiers Résolu eut finalement été acceptée par les actionnaires.

> Les membres de la direction et du conseil d'administra-tion de Fibrek se sont battus bec et ongles pour que la prise de contrôle de Produits forestiers Résolu ne se réalise pas. Il n'est donc pas surprenant d'apprendre que Résolu les a tous remplacés, à la suite de sa victoire[5].

Détail important, juste avant de quitter Fibrek, le conseil d'administration et son président ont tout de même pu voter une indemnité de départ fort avantageuse à l'ancienne direc-tion. C'est ainsi que la secrétaire générale du conseil d'admi-nistration, Emmanuelle Lamarre-Cliche, aussi vice-présidente aux affaires juridiques et au développement durable, a reçu au moins 671 931 $[6] en guise d'indemnité de départ.

1745, 9 mars 2012 ; QCCA 569, 27 mars 2012 ; Autorité des marchés financiers, 4 avril 2012. Ce litige s'est rendu jusqu'en Cour suprême, en décembre 2012.

5.   « Purge complète chez Fibrek », *Argent* (Affaires), 10 mai 2012, [argent.canoe.ca/nouvelles/affaires/purge-complete-chez-fibrek-10052012].

6.   Voir La Presse canadienne, « Les ex-dirigeants de Fibrek se sont partagé 8,2 millions avant de démissionner », *Le Devoir*, 31 mai 2012, [www.ledevoir.com/economie/actualites-economiques/351246/les-ex-dirigeants-de-fibrek-ont-obtenu-8-2-millions-avant-de-demissionner]. « Les ex-vice-présidents Patsie Ducharme (finances), Dany Paradis (approvisionnements), Jean-Pierre Benoit (ventes et exploitation) et Emmanuelle Lamarre-Cliche (affaires juridiques) ont ainsi eu droit à des versements oscillant entre 671 931 $ et 914 157 $. »

Quelques mois plus tard, Hubert Lacroix pressait Louis Lalande, le vice-président des Services français, d'embaucher Emmanuelle Lamarre-Cliche. Ce dernier a accepté et en a fait sa chef de cabinet à l'automne 2012.

En ce qui concerne la seconde entreprise, Zarlink Semiconducteur, dont Hubert Lacroix était administrateur et présidait le comité de vérification, on assiste à un scénario similaire à celui qui s'est déroulé chez Fibrek. Il faut souligner que chaque trimestre, Lacroix devait siéger pendant trois jours consécutifs à ce conseil d'administration.

Là aussi, le président de Radio-Canada a dû multiplier ses activités, car Zarlink Semiconducteur a également fait face à une offre d'achat hostile. Dans ce cas, l'offre provenait de la compagnie américaine Microsemi Corporation. Encore une fois, Hubert T. Lacroix s'est impliqué à fond avec ses collègues administrateurs pour contrer cette offre, mais en vain. Néanmoins, la transaction lui a rapporté un dividende important.

> Zarlink a été achetée en septembre 2011 par l'américaine Microsemi Corp. On peut lire dans l'Avis de modification de la circulaire du conseil d'administration, un document daté du 27 septembre et signé par M. Lacroix, qu'un « administrateur recevra un paiement en espèces de 108 456 $ si les offres de Microsemi révisées sont menées à terme ». Dans la circulaire, on apprend que M. Lacroix détient 165 000 actions de Zarlink et qu'il a reçu 68 188 $ pour ses services d'administrateur l'an dernier[7].

Avec un tel volume d'activités, on était loin de la « charge à temps plein » d'un président-directeur général de Radio-Canada telle que définie par la loi et pour laquelle il reçoit une rémunération fort avantageuse.

---

7. Jean-François Cloutier, « Le patron de Radio-Canada cumule les fonctions ».

Le Parti conservateur et Hubert T. Lacroix

À son arrivée à la présidence, Hubert T. Lacroix bénéficiait d'une réelle sympathie au sein de l'entreprise. Il n'y avait pas réellement de méfiance particulière à son sujet ni à l'égard de ses liens politiques avec le gouvernement conservateur. Ses affinités avec la mouvance conservatrice semblaient se limiter à ses bonnes relations avec le sénateur et ministre Michael Fortier.

Ce dernier a été battu lors de l'élection du 14 octobre 2008 dans la circonscription de Vaudreuil-Soulanges. Dans les semaines qui ont suivi, le président de Radio-Canada a insisté auprès de Sylvain Lafrance afin que le Service de l'information offre un contrat à son ami et bienfaiteur. Il y eut plusieurs remarques à cet effet, provenant notamment du vice-président. Plus les pressions se faisaient insistantes, plus j'avais envie de les repousser.

Nous avons bien tenté de proposer à Michael Fortier une formule de chronique à RDI. C'est lui-même qui l'a refusée. En effet, il voulait n'être utilisé à l'antenne que comme « expert économique » et, par conséquent, ne désirait en aucun cas répondre à des questions sur l'actualité politique… De notre côté, nous insistions pour dire qu'on ne pouvait dissocier les deux, d'autant plus qu'il avait tout de même été ministre du gouvernement conservateur. Personne ne pouvait l'ignorer. Nous lui avions expliqué que nous ne pouvions certainement pas demander à nos animateurs de n'aborder avec lui que des questions strictement économiques… Les discussions se sont terminées là.

Je n'étais pas fâché de ce dénouement. Je n'étais pas très emballé d'accueillir l'ami du président comme chroniqueur régulier. Évidemment, il restait le bienvenu à l'antenne comme expert sur des dossiers ponctuels.

La relation du président de Radio-Canada avec l'univers conservateur s'est également manifestée en novembre 2008 à l'occasion d'un événement qui regroupait à Toronto environ deux cents cadres des Services français et anglais. La rencontre, baptisée le Forum des leaders, a constitué un révélateur des valeurs profondes de notre nouveau président.

Seul sur scène, vêtu d'un jean et portant une chemise à col ouvert, il faisait les cent pas, tentant de galvaniser ses troupes pour affronter les défis futurs. Ses propos bien mesurés étaient ponctués de nombreux silences. L'heure était grave…

Mais il n'était la vedette que de la première partie du spectacle. Le plus étonnant était à venir. Un invité surprise a fait son apparition sur scène, un grand gaillard aux allures de vrai leader ayant affronté de vrais ennemis. C'était le général Rick Hillier, ancien chef d'état-major de la Défense et des Forces armées canadiennes[8]. C'était lui qui avait convaincu les autorités canadiennes de déplacer les troupes dans les zones de combat en Afghanistan, en 2003. Pour Hubert Lacroix, le général Hillier incarnait un modèle à suivre, une inspiration pour les participants de ce Forum des leaders.

Un profond malaise s'est alors emparé de tous mes collègues des Services d'information, tant du côté de Radio-Canada que de celui de CBC. Rappelons qu'en 2008 le Canada était encore en pleine campagne militaire en Afghanistan. De nombreux Canadiens voulaient que le gouvernement rapatrie ses troupes. Durant l'année, celui-ci avait annoncé le prolongement de l'opération de contre-insurrection de l'armée canadienne dans la province de Kandahar jusqu'en juillet 2011.

De mon côté, j'avais pris la décision, deux années plus tôt, de réaffecter la journaliste Christine St-Pierre à une autre tâche parce qu'elle avait pris position dans ce débat controversé, faisant fi de son obligatoire neutralité[9].

---

8. Il avait quitté ce poste en avril 2008.

9. Voir le chapitre VIII pour plus de détails.

Les *Normes et pratiques journalistiques* de Radio-Canada définissent ainsi l'obligation d'impartialité :

> Notre jugement professionnel se fonde sur des faits et sur l'expertise. Nous ne défendons pas un point de vue particulier dans les questions qui font l'objet d'un débat public[10].

Et voilà que le président du diffuseur public nous conviait à un genre d'exercice de *cheerleaders* en compagnie de son conférencier motivateur, le général Hillier !

C'était un manque flagrant de jugement. Dans de telles circonstances, Radio-Canada doit évidemment prendre ses distances et ne pas se prononcer sur les questions « qui font l'objet d'un débat public ».

Heureusement pour lui, aucun média n'a relaté l'événement ni la présence de l'invité surprise. Si tel avait été le cas, l'impartialité de Radio-Canada et de CBC, plus particulièrement de ses services d'information anglais et français, aurait été entachée. Il y avait à tout le moins une apparence de conflit d'intérêts. Je suis certain qu'il n'a jamais compris à quel point il avais mis l'entreprise en situation de vulnérabilité. Hubert Lacroix affichait plutôt son admiration pour son conférencier vedette.

Du coup, nous avons saisi que nous entrions de plain-pied dans l'univers des conservateurs de Stephen Harper, dont la culture militaire fait notoirement partie.

S'il était vrai que la relation entre les libéraux et Radio-Canada dans les années 1970 avait été particulièrement difficile, nous avons senti que la prochaine décennie allait l'être

---

10. Radio-Canada, *Normes et pratiques journalistiques,* « Nos valeurs », [www.cbc.radio-canada.ca/fr/rendre-des-comptes-aux-canadiens/lois-et-politiques/programmation/journalistique/].

tout autant. Le pouvoir politique conservateur se manifestait de plus en plus au sein du service public.

Nous avons tous compris que nous devions être sur nos gardes afin de protéger l'impartialité de l'entreprise.

Le loup dans la bergerie

Nous l'avons vu, la loi confère un statut d'indépendance à Radio-Canada. Toutefois, ce statut peut s'avérer très difficile à protéger quand le conseil d'administration compte parmi ses membres des gens choisis davantage pour leur allégeance politique que pour leurs compétences.

Or il faut bien constater que la sélection des membres du CA se fait encore aujourd'hui selon des critères non publiés qui paraissent relever de la politique partisane. Les administrateurs sont choisis par le premier ministre ou son ministre du Patrimoine, qui ne soumettent les nominations ni au Parlement ni au Comité permanent du Patrimoine canadien.

Peu importe le parti au pouvoir, ce mode de nomination est totalement inapproprié pour un service qui a besoin de son indépendance pour être en mesure de travailler correctement. Cela doit être changé. Le rapport Caplan-Sauvageau en avait d'ailleurs fait une de ses recommandations.

J'ai eu, bien sûr, l'occasion de rencontrer plusieurs fois des membres du conseil d'administration compétents qui comprenaient bien leur rôle et avaient bien assimilé ce principe de « saine distance ». Il en existe encore au sein de l'actuel CA, mais ils se font rares. Actuellement, ce sont tous des partisans du Parti conservateur et plusieurs ont versé des contributions au parti, comme en fait foi un tableau publié par Les Amis de la radiodiffusion le 30 avril 2013[11].

---

11. Les Amis de la radiodiffusion canadienne, « Conservative Broad-

Ainsi, Rémi Racine, qui siège au CA depuis 2008 et le préside depuis 2012, en est une bonne illustration.

L'homme tire sa qualification de son expertise comme chef de Behaviour Interactive (anciennement A2M), une entreprise de jeux vidéo qui l'occupe sûrement beaucoup, puisqu'elle compte près de 300 employés à Montréal et à Santiago, au Chili.

La principale raison de sa nomination vient sans nul doute de ses liens étroits avec le Parti conservateur. Une chose est certaine, Radio-Canada ne semblait pas beaucoup l'intéresser. Certains l'ont entendu dire qu'il avait accepté cette nomination pour rendre service au parti.

Il a aussi raconté en 2011 à quelqu'un de mon équipe de direction qu'il n'écoutait pas la radio de Radio-Canada. Il préférait l'émission matinale de Paul Arcand sur les ondes du 98,5 FM.

Voici comment Rémi Racine décrivait à un journaliste de *La Presse* en 2008 son rapport avec la politique et le fait qu'il avait été secrétaire national du Parti conservateur de 1989 à 1991 :

> « Le plus jeune de l'histoire », précise-t-il, soulignant qu'il a participé à quatre campagnes électorales et que les ministres John Baird et Jim Prentice comptent parmi ses connaissances proches. Toujours membre du parti, il n'hésite pas à afficher ses couleurs.
>
> « Pour moi, la politique, ça me divertit. C'est le fun, c'est du social. C'est comme jouer au golf[12]. »

---

casting Corporation » (communiqué), 30 avril 2013, [www.friends.ca/press-release/11380].

12. Philippe Mercure, « Rémi Racine, président d'A2M : de la politique aux tueuses à gages », *La Presse*, 12 avril 2008, [affaires.lapresse.ca/economie/200901/06/01-685601-remi-racine-president-da2m-de-la-politique-aux-tueuses-a-gages.php].

Au moment de la publication de cet article, Rémi Racine venait tout juste d'être nommé membre du conseil d'administration de Radio-Canada. Il disait aussi ceci :

> Quand tu t'impliques dans un parti politique, c'est parce que tu as à cœur les problèmes de la société. Après, c'est naturel de se retrouver dans des associations d'entreprises, dans toutes sortes de choses[13].

Depuis son arrivée, ce président a largement influencé certaines décisions importantes de Radio-Canada.

Par exemple, en 2012, il a fait pression sur ses relations au sein du Cabinet des ministres pour qu'Hubert Lacroix obtienne un renouvellement de mandat comme PDG. Selon mes sources, le PDG a aussi appuyé la candidature de Rémi Racine à la présidence du CA. La situation est d'ailleurs un peu inhabituelle puisque, traditionnellement, quand un francophone occupe le siège du PDG, c'est plutôt un anglophone qui préside le CA, et inversement.

Un autre exemple de nominations partisanes intervenues au conseil d'administration en 2011 est celle de Pierre Gingras. Ce dernier avait été maire de Blainville de 1993 à 2005. En mai 2013, lors de son témoignage à la commission Charbonneau, un certain Gilles Cloutier a affirmé avoir versé 30 000 $ destinés à la campagne électorale de Pierre Gingras. Cet argent provenait de la compagnie Dessau. À cette époque, Gilles Cloutier était un organisateur politique exceptionnel, un *rainmaker,* lors d'élections municipales de la région Laurentides-Lanaudière, ce dont avait largement profité Pierre Gingras, selon le témoignage. Voici un extrait de l'article de Brian Myles dans *Le Devoir* du 2 mai 2013, à la suite du témoignage de Gilles Cloutier :

---

13. Cité dans *ibid.*

En 1997, Michel Déziel, qui était encore avocat, se serait adressé à lui [Gilles Cloutier] pour l'aider à « blanchir » 30 000 $ en provenance de Dessau. [...] Selon les déclarations de Gilles Cloutier, les sommes étaient destinées à l'Action civique de Blainville, le parti du maire Pierre Gingras, qui deviendra député adéquiste en 2007 et 2008. M. Gingras siège aujourd'hui au conseil de Radio-Canada. [...] « Il [Michel Déziel] a fait une fraude. Je voulais le mentionner maintenant qu'il est juge », a précisé M. Cloutier, jeudi à la commission Charbonneau[14].

Le témoignage de Gilles Cloutier a incité le Conseil canadien de la magistrature à examiner la conduite antérieure du juge Déziel.

Une autre personne a mentionné le nom de Pierre Gingras devant la commission Charbonneau quelques jours plus tard. Il s'agit de l'ingénieur à la retraite Roger Desbois. Voici comment le journaliste Pierre-André Normandin, de *La Presse*, rapportait la déclaration de ce dernier le 22 mai 2013 :

> À Blainville par exemple, Tecsult décide de soutenir la candidature de Daniel Ratthé à la mairie de Blainville lors de l'élection de 2005 afin de maintenir sa part de marché dans la municipalité de la couronne nord. Roger Desbois dit avoir livré 30 000 $ à la résidence de l'ex-maire Pierre Gingras pour la campagne de son dauphin. Daniel Ratthé a finalement échoué à se faire élire maire[15].

---

14. Brian Myles, « Commission Charbonneau – Gilles Cloutier implique un juge de la Cour supérieure », *Le Devoir*, 2 mai 2013, [media2.ledevoir.com/politique/quebec/377185/commission-charbonneau-des-dons-illegaux-pour-avoir-les-contacts-necessaires].

15. Pierre-André Normandin, « Tecsult faisait du financement illégal au provincial », *La Presse*, 22 mai 2013, [www.lapresse.ca/actualites/

Dès le lendemain de la publication de cette nouvelle, le ministre James Moore, responsable de Radio-Canada, annonçait qu'il allait enquêter sur les allégations contre Pierre Gingras[16]. Au début de l'automne 2014, celui-ci est toujours en poste.

En 2007, Pierre Gingras a été élu député de l'ADQ. Il présidait même le caucus des députés de Mario Dumont. À l'époque, le président du comité de financement de l'ADQ était Leo Housakos, le même qui allait se retrouver plus tard bailleur de fonds du Parti conservateur au Québec. Battu lors des élections suivantes en 2008, Pierre Gingras donne un coup de main à l'organisation de la campagne des conservateurs. Avec Leo Housakos, il organise un ralliement des conservateurs à Saint-Eustache en appui à la campagne du candidat Claude Carignan dans la circonscription de Deux-Montagnes. M. Carignan ne sera pas élu. Il sera plus tard nommé sénateur par Stephen Harper.

Quant à Pierre Gingras, en 2009, il devient responsable de la campagne de financement de Gilles Taillon, qui veut succéder à Mario Dumont à la direction de l'ADQ. Gingras servira d'intermédiaire entre Gilles Taillon et le nouveau bailleur de fonds des conservateurs, Leo Housakos. Quand on comprend tout cela, on ne s'étonne pas du changement de discours de Gilles Taillon à l'égard de l'action des conservateurs au Québec, tel que décrit dans un article du *Soleil* en 2009 :

---

dossiers/commission-charbonneau/201305/22/01-4653111-tecsult-faisait-du-financement-illegal-au-provincial.php].

16.   Yves Poirier, « Cité à la commission Charbonneau – Le ministre Moore enquête sur Pierre Gingras », *TVA Nouvelles*, 23 mai 2013, [tva-nouvelles.ca/lcn/infos/national/archives/2013/05/20130523-140649.html].

Par ailleurs, le candidat Gilles Taillon a modifié son discours, hier, à propos de la « prise de contrôle » des conservateurs sur l'ADQ qu'il disait craindre dimanche, et de l'ingérence de certains conservateurs dans la course. Le responsable du financement de l'organisation Taillon, Pierre Gingras, a néanmoins dîné avec un important bailleur de fonds, le sénateur conservateur Léo Housakos, vendredi dernier[17].

C'est le début de la conversion politique de Pierre Gingras au Parti conservateur. Même s'il était candidat pour le Parti libéral en 2004, son rapprochement avec le conservateur Leo Housakos le servira pour la suite des choses. Il rendra suffisamment de bons services au Parti conservateur pour qu'en février 2011 Stephen Harper le nomme au conseil d'administration de Radio-Canada pour un mandat de cinq ans. Nulle part dans son curriculum vitæ on ne peut trouver une compétence relative au monde des communications, encore moins à Radio-Canada. Il y représente donc le monde des conservateurs, pas celui des médias.

Rémi Racine et Pierre Gingras sont les deux représentants québécois francophones du gouvernement conservateur au sein du conseil d'administration de Radio-Canada, qui est composé de douze membres, incluant le PDG.

Chez les membres anglophones du CA, les liens avec le Parti conservateur ne se limitent pas aux seules contributions financières. Qu'il suffise de mentionner le nom de George T. H. Cooper, qui a été brièvement député conservateur sous le gouvernement minoritaire de Joe Clark en 1979 (puis battu

---

17. Simon Boivin, « Direction de l'ADQ : Christian Lévesque courtisé », *Le Soleil,* 2 juin 2009, [www.lapresse.ca/le-soleil/actualites/politique/200906/01/01-862000-direction-de-ladq-christian-levesque-courtise.php].

aux élections de 1980). Il siège au conseil d'administration depuis le 9 mai 2008. Il a d'abord été nommé pour un mandat de quatre ans, puis ce dernier a été renouvelé pour deux ans.

Une ligne directe avec le gouvernement ?

Hubert Lacroix aussi sait bien s'entourer. Il n'est pas certain toutefois qu'il ait toujours bien saisi le principe de la saine distance envers le pouvoir politique. Ainsi, le 23 décembre 2010, dans le cadre d'un programme d'échanges de fonctionnaires – Échanges Canada –, un dénommé Alfred McLeod a été prêté pour agir pendant deux ans à titre de directeur des affaires générales de Radio-Canada. Alfred McLeod provenait directement du Bureau du Conseil privé, où il agissait à titre de sous-ministre adjoint du Cabinet, planification et affaires intergouvernementales[18].

Qu'est-ce que le Bureau du Conseil privé ? Dans le site web du gouvernement, on définit ainsi son rôle :

> Le Bureau du Conseil privé (BCP) est l'organisme central de la fonction publique qui appuie le premier ministre ainsi que le Cabinet et ses structures décisionnelles de façon impartiale.
> Dirigé par le greffier du Conseil privé, le BCP aide le gouvernement à réaliser sa vision et à donner suite avec rapidité et efficacité aux enjeux avec lesquels le gouvernement et le pays doivent composer[19].

18. Le titre anglais est *Assistant Deputy Minister Intergovernmental Policy and Planning*.

19. Bureau du Conseil privé, « Au sujet du BCP », [www.pco-bcp. gc.ca/index.asp?lang=fra&page=about-apropos].

Que venait faire Alfred McLeod à Radio-Canada ? Accomplir la mission du gouvernement et du premier ministre ? Comment se fait-il que personne n'ait exprimé une « petite gêne » au sujet de ce prêt d'un fonctionnaire du Bureau du Conseil privé ?

Dans un échange avec l'avocat Pierre Trudel, qui a souvent conseillé la haute direction de Radio-Canada sur la notion de saine distance, ce dernier me disait : « Le *"arm's length"*, c'est comme un muscle : si tu ne fais pas d'exercice, le muscle s'atrophie[20]. » Vraisemblablement, le muscle manquait d'exercice…

Alfred McLeod a fait une entrée discrète, trop discrète à Radio-Canada. Très peu de gens savaient qui il était et d'où il venait. Dans un communiqué destiné à la haute direction, on a expliqué ainsi les raisons et la durée de sa présence à Radio-Canada :

> […] pour une durée de deux ans dans le cadre du programme d'affectations temporaires « Échanges Canada », qui offre aux cadres supérieurs une occasion de développement personnel et professionnel, tout en favorisant l'échange des connaissances entre les secteurs d'activités[21] […].

Voici comment Alfred McLeod se décrivait lui-même en 2011 dans une entrevue accordée lors de sa participation à une rencontre en Australie :

> — Que faites-vous ces temps-ci, après l'EFP [Executive Fellows Program] ?

---

20. Pierre Trudel, entretien du 28 mars 2014.

21. Bill Chambers, vice-président de Radio-Canada, communiqué, 2 décembre 2010.

— Depuis que je suis rentré au Canada, j'ai commencé un nouvel emploi. Pour les deux prochaines années, je suis dépêché par le gouvernement du Canada auprès de CBC [...]. Je suis directeur des affaires générales. L'aspect principal de mon travail concerne les relations entre CBC/Radio-Canada et le gouvernement fédéral, ses différents ministères et agences. Quelle différence avec ce que je faisais avant – tous les jours, j'ai plein d'occasions de me gratter la tête et de me demander : qu'est-ce que je viens faire ici ? C'est vraiment très bien[22].

Que diable faisait-il là, en effet ?

Alfred McLeod a participé durant deux ans et demi aux discussions stratégiques sur l'avenir de Radio-Canada. Lors de son départ en 2013, on a salué ainsi sa contribution :

Depuis deux ans et demi, les réalisations d'Alfred comme directeur des affaires générales ont eu un impact positif et considérable pour la Société. Avec sa vaste connaissance du fonctionnement de la fonction publique, il nous a aidés à faire avancer harmonieusement d'importantes initiatives dans la machine administrative et, en même temps, il nous a aidés à tisser une collaboration professionnelle solide avec des cadres supérieurs de la fonction publique[23].

À noter que le signataire de cette note de service, Bill Chambers, a été entre autres chef de cabinet du ministre des

---

22. « Alumni Profile – Alfred McLeod », *The Australia and New Zealand School of Government*, 24 mars 2011, [www.anzsog.edu.au/blog/2011/03/147/alumni-profile-alfred-mcleod]. Je traduis.

23. Bill Chambers, vice-président à l'image de marque, aux communications et aux affaires institutionnelles, communiqué, 31 mai 2013. Je traduis.

Affaires étrangères, Joe Clark, dans le gouvernement conservateur de Brian Mulroney, avant d'occuper le poste de vice-président aux communications à Radio-Canada de 2003 à 2008. Il est aussi le fils d'Egan Chambers, un ancien ministre dans le gouvernement Diefenbaker. Depuis l'arrivée d'Hubert Lacroix, Bill Chambers a été promu vice-président à l'image de marque, aux communications et aux affaires institutionnelles. Il a donc une grande influence sur la stratégie de la société d'État. Cet emprunt d'Alfred McLeod auprès du Bureau du Conseil privé était son idée.

Le recours au programme Échanges Canada n'était pas terminé. On y avait pris goût, de part et d'autre.

Le 31 janvier 2014, Bill Chambers publie un nouveau communiqué.

> J'ai le plaisir de vous annoncer la nomination de Marc O'Sullivan au poste de directeur général des Affaires institutionnelles. Il succède à Alfred MacLeod, dont le mandat s'est achevé au printemps de 2013[24].

Marc O'Sullivan venait du Conseil du Trésor, là où on sait compter. Dans l'organigramme du Conseil du Trésor, on l'identifie comme « contrôleur général adjoint, Secteur des services acquis et des actifs ». On définit ainsi son « secteur » :

> Le Secteur des services acquis et des actifs (SSAA) joue un rôle de premier plan en appuyant l'engagement du Bureau du contrôleur général (BCG) dans le renforcement de la gestion des actifs et des services acquis au gouvernement du Canada[25].

---

24. Bill Chambers, communiqué aux employés, CBC/Radio-Canada.

25. Secrétariat du Conseil du Trésor du Canada, « Gestion des actifs et services acquis », [www.tbs-sct.gc.ca/aas-gasa/index-fra.asp].

Dans le communiqué qui souligne l'arrivée d'O'Sullivan, Bill Chambers conclut ainsi :

> À n'en pas douter, l'expertise de Marc arrive à point nommé pour la Société. Joignez-vous à moi pour lui souhaiter un mandat stimulant et fructueux à CBC/Radio-Canada[26].

Fort de cette expertise, Marc O'Sullivan arrivera « à point nommé » pour contribuer aux discussions qui mèneront aux compressions budgétaires d'avril 2014, lesquelles prévoient la suppression de 657 emplois en deux ans[27].

L'important fonctionnaire du Conseil du Trésor sera aussi en poste lors de l'élaboration du plan stratégique *Un espace pour nous tous*[28], qui planifie l'avenir de Radio-Canada pour 2015-2020.

Ces deux prêts de hauts fonctionnaires fédéraux constituaient une première. On ne peut s'empêcher de penser que ces gens qui retournent à leur ancien poste après leur séjour à Radio-Canada vivent une double allégeance et même que leur allégeance première va nécessairement à leur employeur principal, le gouvernement. Le pouvoir fédéral loge donc au sein de la direction de la société d'État depuis décembre 2010.

Une autre arrivée dans l'entourage d'Hubert T. Lacroix est celle de Jodi White. Ancienne journaliste de CBC, Jodi

---

26. Bill Chambers, communiqué aux employés.

27. Radio-Canada, « Radio-Canada/CBC supprimera 657 emplois en deux ans », 11 avril 2014, [ici.radio-canada.ca/nouvelles/societe/2014/04/10/006-radio-canada-compressions-lalande-lacroix.shtml].

28. Radio-Canada, *Un espace pour nous tous,* [www.cbc.radio-canada.ca/_files/cbcrc/documents/explore/transforming/un-espace-pour-nous-tous-v12-fr.pdf].

White est sans nul doute une personne compétente ; son curriculum vitæ impressionne. Elle a dirigé des entreprises et des organisations comme le Forum des politiques publiques du Canada.

Elle a présidé le comité spécial mis sur pied afin de redéfinir le rôle des ombudsmans de Radio-Canada et de CBC. Son rapport a été déposé en 2012.

Jodi White a également joué, dans le passé, un rôle important au sein du Parti conservateur. Lors des élections fédérales de 1997, elle était la présidente de la campagne du Parti progressiste-conservateur, alors dirigé par Jean Charest. Elle avait aussi été chef de cabinet du ministre conservateur des Affaires étrangères Joe Clark en 1984 et en 1988, puis de la première ministre conservatrice Kim Campbell pendant quelques mois en 1993. Bill Chambers lui avait succédé au cabinet de Joe Clark.

Elle a d'ailleurs fait bénéficier Hubert Lacroix de ses amitiés. Au cours de l'été 2010, on l'a vue à son chalet de North Hatley avec ses invités Hubert Lacroix et Jean Charest, ainsi que leurs conjointes. Le président de Radio-Canada loue un chalet dans le même village depuis plusieurs années. Le problème ici n'est pas de se retrouver entre amis à la campagne, mais il était peut-être imprudent pour le président de Radio-Canada de participer à des rencontres privées avec le chef du Parti libéral et premier ministre du Québec. Rappelons le contexte. Lors d'une entrevue diffusée quelques mois auparavant, le 13 avril 2010, l'ancien ministre de la Justice du Québec Marc Bellemare s'était confié à Alain Gravel[29] pour dénoncer le trafic d'influence des collecteurs de fonds du Parti libéral, notamment dans la nomination de juges. Il ajoutait

---

29. Radio-Canada, « Marc Bellemare vide son sac », 13 avril 2010, [ici.radio-canada.ca/nouvelles/politique/2010/04/12/004-bellemare-entrevue.shtml].

que le premier ministre Jean Charest était au courant. L'équipe d'*Enquête* accumulait les reportages sur la corruption dans l'industrie de la construction et sur le financement occulte des partis politiques. La population revendiquait la tenue d'une commission d'enquête, tandis que le premier ministre Charest résistait malgré la pression.

A *posteriori*, plusieurs sont convaincus que, sans les reportages de cette émission en particulier, il n'y aurait peut-être pas eu de commission Charbonneau au Québec. L'annonce de sa création a été faite en dépit des hésitations de Jean Charest, le 19 octobre 2011.

Il aurait été sage pour le président de Radio-Canada, dans l'effervescence politique de l'été 2010 au Québec et en raison du rôle majeur que jouaient les journalistes d'enquête de sa propre maison, d'afficher un peu plus de réserve. Dans les circonstances, il était clairement inopportun de participer à une telle rencontre à caractère privé avec le premier ministre du Québec.

Enquête et la vision du président

L'année précédente, lors de la saison 2009-2010, j'avais croisé l'animateur de l'émission *Enquête,* Alain Gravel. Il m'avait rapporté avec inquiétude un drôle d'échange qu'il venait tout juste d'avoir avec le président dans l'ascenseur. Alain Gravel avait été tout fier de lui dire : « Patron, nous avons une maudite bonne émission à *Enquête,* ce soir ! » Hubert Lacroix de répliquer le plus sérieusement du monde : « Quand est-ce que vous allez avoir des enquêtes positives ? »

Alain Gravel et moi avons eu l'impression que l'objectif de nos enquêtes ne lui paraissait pas pertinent. Nous en avons bien ri les jours suivants, mais nous savions désormais que notre président ne faisait pas partie des milliers de *fans* de nos enquêtes journalistiques, celles qui ont marqué les années 2009, 2010 et 2011 et qui ont conduit à la mise sur pied de la commission Charbonneau.

Comme si peu lui importait que nous récoltions de nombreux prix de journalisme pour des reportages chocs comme « Collusion frontale ». Dans ce document de Marie-Maude Denis et d'Alain Gravel, *Enquête* avait levé le voile sur l'existence d'un club sélect d'entreprises qui agissait de connivence dans le but de déterminer qui serait le plus bas soumissionnaire lors d'un appel d'offres pour des travaux d'infrastructure routière. Le groupe était constitué d'entrepreneurs en construction et de firmes de génie-conseil.

Sur toutes les tribunes, le Service de l'information de Radio-Canada était louangé pour sa contribution à l'assainissement des mœurs politiques au Québec, mais vraisemblablement pas au bureau du président, au 12e étage de la Maison Radio-Canada.

De bonnes relations avec le ministre

Dans toutes les réunions auxquelles j'ai assisté en compagnie d'Hubert T. Lacroix, celui-ci se vantait d'avoir de très bonnes relations avec le ministre du Patrimoine James Moore[30]. Il s'en réjouissait, sans éprouver la moindre réserve sur la nécessaire distance critique du PDG du service public à l'égard du pouvoir politique.

C'est le même ministre qui est intervenu pour forcer Tou.tv, l'un des sites de Radio-Canada, à retirer la télésérie française *Hard,* qu'il jugeait offensante.

La controverse autour de la production française est née après qu'un journaliste de Sun Media eut interpellé le

---

30. James Moore a occupé ce poste d'octobre 2008 à juillet 2013.

ministre James Moore au sujet de la fiction comprenant des scènes sexuelles explicites. Le ministre avait souhaité qu'une « offensante programmation de ce genre ne se reproduise plus[31] ».

L'été précédent, le 29 juin 2011, c'est le ministre Moore qui faisait parvenir un courriel[32] au président de Radio-Canada lors de la visite du prince William et de Kate Middleton au Canada. Il voulait s'assurer que les services d'information de CBC et de Radio-Canada présentent correctement les titres du prince William et de son épouse, le duc et la duchesse de Cambridge.

Voici la traduction du courriel du ministre qu'Hubert Lacroix s'est empressé de faire suivre aux deux directions de l'information de Radio-Canada et de CBC en exigeant une réponse :

Bonjour Hubert,
J'étais en train de regarder la couverture de CBC ce matin à l'aéroport, en attendant mon vol pour Ottawa.
Il ne s'agit pas d'un gros problème, mais je l'ai remarqué, alors j'ai pensé que je te mentionnerais ceci :
Pour le protocole, la visite de Kate et William est une « tournée royale », pas une « visite royale » comme CBC l'affirme en ondes. Ce ne sont pas des « visiteurs » au Canada, ce sont des membres de la famille royale et il est

---

31. Stéphane Baillargeon, « La série *Hard* est retirée de Tou.tv », *Le Devoir*, 8 mars 2012, [www.ledevoir.com/culture/television/344524/la-serie-hard-est-retiree-de-tou-tv].

32. Il s'agit d'un courriel du 29 juin 2011. Hubert T. Lacroix le reçoit de James Moore à 12 h 34. Trois minutes plus tard, à 12 h 37, il retransmet la note aux directeurs de l'information des réseaux anglais et français.

le futur roi du Canada. Il n'est pas en visite au Canada. De plus, ils sont le duc et la duchesse de Cambridge, pas « Will et Kate ». Je sais qu'on les appelle souvent par leurs prénoms – et les diminutifs de leurs prénoms –, mais leurs titres appropriés sont le duc et la duchesse de Cambridge[33].

Nous étions bel et bien dans l'univers conservateur de Stephen Harper, pour qui la royauté, c'est important.

---

33. Je traduis.

CHAPITRE X

Le style conservateur

Visiblement, James Moore a apprécié l'étroite collaboration instaurée entre son gouvernement et Radio-Canada. Voici ce qu'il déclarait le 29 mai 2012, alors qu'il était encore ministre du Patrimoine :

> C'est ce que nous avons fait dans le cas de la SRC. Nous n'avons pas travaillé contre elle ; nous avons collaboré avec elle dans ce processus, de façon à ce qu'elle ait les fonds nécessaires pour mettre en œuvre sa stratégie 2015. Ce ne sera pas facile. Il y aura des défis, c'est évident, mais la SRC sera en mesure de les relever. Une grande partie du mérite revient à Hubert Lacroix, le président et PDG, au conseil d'administration et à l'équipe de gestion qui, à mon avis, ont élaboré une stratégie très ambitieuse pour les cinq prochaines années, une stratégie qui rapportera beaucoup au Canada[1].

Cet appui du ministre James Moore à Hubert Lacroix s'est manifesté quelque temps avant que ce dernier ne soit reconduit pour un second mandat. Il faut dire qu'Hubert

---

1. James Moore, « Témoignages », *Comité permanent du patrimoine canadien*, 29 mai 2012, [www.parl.gc.ca/HousePublications/Publication.aspx?Language=F&DocId=5615160].

Lacroix livrait la marchandise. Il réalisait avec efficacité les réductions budgétaires souhaitées et avait diminué la taille de l'entreprise. Il accumulait des points bonis.

Changement de philosophie

À l'été 2012, l'ex-secrétaire national du Parti conservateur, Rémi Racine, devenait président du conseil d'administration. Hubert T. Lacroix et lui menaient bien la barque. Leur stratégie pour assurer la pérennité de Radio-Canada consistait d'abord à favoriser une plus grande commercialisation du service public.

Dans le plan stratégique 2010-2015 (*Partout, pour tous*[2]), on avait constaté un changement important de philosophie, un virage radical : le discours d'ouverture sur le monde qui avait guidé les plans antérieurs était subitement évacué des priorités de l'entreprise. Il s'agissait pourtant d'un objectif incontournable à l'ère de la mondialisation. D'ailleurs, quelques années plus tard, en avril 2013, la direction a annoncé le retrait de l'antenne de l'émission d'information internationale *Une heure sur terre*. Drôle de choix à l'heure où la culture francophone a besoin de toute la francophonie pour survivre, où nos gens d'affaires ont besoin de comprendre le monde pour y investir, où nous devons décider de participer ou pas aux grands conflits mondiaux. Seul un diffuseur public a vraiment les moyens d'offrir une information internationale avec un point de vue canadien, plus particulièrement à la télévision en raison de l'importance des coûts. On a bien vu au moment de la guerre en Irak, par

---

2. Radio-Canada, *2015 : Partout, pour tous. Plan stratégique quinquennal de CBC/Radio-Canada*, [www.cbc.radio-canada.ca/_files/cbcrc/documents/strategie-2015/document-2015-2-pager-fr.pdf].

exemple, combien le point de vue canadien peut parfois dif-
férer de celui des Américains. Pour les diffuseurs privés, ce
genre de couverture coûte trop cher et n'est pas rentable.

Par ailleurs, on mettait l'accent plus que jamais sur l'importance des services aux régions. Un virage qui paraissait
contradictoire avec les compressions imposées aux autres secteurs. Il faut savoir que le CRTC venait de créer un fonds spécial dédié aux services régionaux[3] qui permettait de se montrer généreux. Grâce à ce fonds, les services aux régions ont été
grandement améliorés. On a pu offrir une programmation
beaucoup plus complète dans des centres importants comme
Sherbrooke, Trois-Rivières et Rimouski. Les émissions de
nouvelles de 18 h ont pu être allongées et sont passées d'une
demi-heure à une heure dans plusieurs stations. On a pu
ajouter quelques plages régionales à la radio d'Espace
Musique (maintenant ICI Musique). En 2011, on a créé plusieurs postes de journalistes Internet pour couvrir la Monté-
régie et la couronne nord de Montréal. En 2014, il ne reste
plus que deux journalistes en place et les locaux loués à Laval
et à Brossard sont pratiquement inutilisés. Les tournées des
émissions nationales d'un océan à l'autre ont aussi été multi-
pliées à grands frais.

Malheureusement, cette abondance n'a pas duré. Il
s'agissait d'un fonds temporaire complètement éliminé par le
CRTC à compter de septembre 2014. Les services régionaux
font encore partie des « valeurs fondamentales » de Radio-
Canada, mais il faut maintenant couper là aussi.

Cet exemple montre bien à quel point il est difficile de

---

3. Le Fonds pour l'amélioration de la programmation locale
(FAPL), financé par les distributeurs de signaux, a été créé par le CRTC
en 2008 et a disparu en septembre 2014. Ce fonds était disponible
autant pour Radio-Canada que pour les diffuseurs privés. Au total, il
donnait accès à une centaine de millions par année.

planifier la gestion d'une institution comme Radio-Canada en l'absence de financement stable.

Plusieurs ont vu dans cette orientation régionale, surtout dans ses aspects hors Québec, une nouvelle façon de promouvoir l'édification de la nation canadienne. L'augmentation de la place d'antenne faite aux autres provinces a incité certains à affirmer sur des blogues que Radio-Canada invitait ainsi les Québécois francophones à redevenir des « Canadiens français ».

En fait, l'objectif de rapprocher les francophones (et les Canadiens dans leur ensemble) d'un océan à l'autre date de la création de Radio-Canada et n'a jamais été abandonné par le gouvernement fédéral. Chaque fois que la direction de Radio-Canada comparaît devant les instances fédérales, les questions des députés, des sénateurs ou des commissaires du CRTC se font très insistantes sur la place des autres provinces à l'antenne. Dans cet extrait d'un article publié dans *L'Acadie nouvelle* le 27 février 2014, Hubert Lacroix exprime clairement ses idées sur le sujet en s'adressant au lectorat acadien du journal :

> La première chose qu'on a faite a été de recruter deux nouveaux reporters à temps plein pour alimenter le *Téléjournal* : un à Edmonton et un autre à Moncton. Instantanément, il y a une présence d'esprit et un suivi des nouvelles pour alimenter le *Téléjournal*. [...] Le *Téléjournal* est en train de changer. J'espère que vous le voyez. Vous allez le remarquer et vous pourrez conclure avec nous qu'avec les mesures qu'on a mises en place dans les régions, les panels des régions, nos efforts de plus en plus importants pour aller chercher cette information et la refléter à notre antenne, à la radio et à la télévision, j'espère que vous verrez nos efforts[4]. »

---

4. Patrice Côté, « Minorité francophone : Radio-Canada soutient

Évidemment, cela pose l'éternelle question du partage du temps d'antenne entre le Québec et les autres provinces dans la programmation de Radio-Canada. L'institution a toujours été déchirée par deux impératifs qui s'opposent : d'une part, les besoins des Québécois, qui représentent plus de 90 % de l'auditoire francophone et dont l'adhésion rapporte des revenus publicitaires substantiels ; d'autre part, les besoins certainement légitimes des francophones de l'extérieur du Québec, qui sont peu nombreux et dont les préoccupations font parfois fuir l'auditoire québécois, il faut bien l'avouer.

Éternelle difficulté pour Radio-Canada de trouver le juste dosage, le juste équilibre capable de répondre aux besoins de tous. Que cela nous plaise ou non, il serait étonnant que cette difficulté s'évanouisse d'elle-même parce qu'un gouvernement ou un PDG aura décidé d'imposer artificiellement sa vision des choses.

Une omission gênante

Voici une anecdote éloquente sur la conception de l'information de l'actuel PDG. En février 2014, lors d'une visite au bureau de Radio-Canada à Washington, Hubert Lacroix mentionnait à quelques employés sur place, dont la correspondante du réseau français Joyce Napier et celui du réseau anglais Neil Macdonald, que certains conservateurs reprochaient à CBC et à Radio-Canada de consacrer trop de reportages aux dépenses des sénateurs !

Les journalistes ont éprouvé un malaise. L'affaire des dépenses des sénateurs Mike Duffy, Pamela Wallin et Patrick

_____

être consciente de son rôle », *L'Acadie nouvelle*, 27 février 2014, [www.acadienouvelle.com/actualites/2014/02/27/minorite-francophone-radio-canada-soutient-etre-consciente-de-son-role/].

Brazeau battait son plein. Il était normal que les bulletins de nouvelles en rendent compte. Les journalistes présents ont rapporté les propos du président à leurs confrères de CBC, ainsi qu'à leurs patrons.

Justement, c'est en ce même mois de février 2014 qu'on apprenait qu'Hubert T. Lacroix avait dû rembourser 30 000 $ aux contribuables pour des frais de subsistance réclamés en double lors de ses séjours dans la capitale fédérale. Le PDG de Radio-Canada a comparu devant un comité sénatorial et le sénateur conservateur Don Plett en a profité pour lui poser des questions sur le sujet. « Vous ne pensez pas, Monsieur, que le public serait tout aussi indigné de vos propres dépenses réclamées indûment[5] ? » a-t-il notamment lancé au président de Radio-Canada.

Du même coup, le sénateur exprimait son mécontentement sur les nombreux reportages de Radio-Canada et de CBC relatifs aux fraudes présumées de ses collègues de la Chambre haute.

Hubert Lacroix a plaidé qu'il avait commis une erreur de bonne foi en réclamant des frais de subsistance en double :

> « Je suis frustré contre moi-même pour ne pas avoir clarifié les règles concernant mes dépenses dès ma nomination », a-t-il déclaré. Je veux m'excuser à tous les Canadiens qui appuient CBC/Radio-Canada pour cette erreur », a-t-il ajouté[6].

---

5.   Hugo de Grandpré, « Orientations de CBC/Radio-Canada : Hubert Lacroix mitraillé de questions », *La Presse,* 27 février 2014, [www.lapresse.ca/arts/medias/201402/27/01-4742996-orientations-de-cbcradio-canada-hubert-lacroix-mitraille-de-questions.php].

6.   *Ibid.*

En fait, Hubert Lacroix recevait déjà une allocation mensuelle de 1 500 $ qui devait couvrir ses frais de
séjours à Ottawa. Il n'avait pas à réclamer un remboursement
de ses dépenses en plus. Il est peut-être vrai que le conseil
d'administration n'avait pas établi de règles très claires.
On peut toutefois se demander comment le PDG a pu ne
pas se rendre compte pendant plus de cinq ans qu'il se faisait
rembourser deux fois pour les mêmes dépenses. Difficile aussi
de féliciter les services de vérification interne pour leur
célérité.

« Duceppe ?... » écrit James Moore

Sous le prétexte d'entretenir de bonnes relations avec le
ministre James Moore, le président faisait preuve d'un zèle
nettement excessif. Le 18 août 2011, j'assistais, comme chaque
année, au lancement de la programmation de la Première
Chaîne radio de Radio-Canada. Ce qui a surtout retenu mon
attention ce jour-là, c'est un message aperçu sur Twitter à propos de Gilles Duceppe, qui avait été défait aux élections
du 2 mai précédent. On annonçait qu'il ferait partie de
l'équipe de collaborateurs de l'émission *Médium large,* animée par Catherine Perrin. Même la direction de la Radio
française n'était pas au courant de cette « prise ». J'étais donc
un peu surpris, mais jamais autant que le président ! L'ancien
chef du Bloc québécois, un collaborateur régulier sur nos
ondes ? C'était le branle-bas au douzième étage ! Hubert
Lacroix se promenait en tenant à la main un courriel de James
Moore sur lequel il était écrit simplement :

Duceppe ?...
James Moore

Le président était dans tous ses états. Il a croisé Patrick Beauduin, alors directeur général de la Radio française[7], et lui a fait part de son étonnement en même temps que du courriel du ministre.

Le président a pressé Patrick Beauduin de corriger le tir et, à tout le moins, d'éviter que Gilles Duceppe ne parle de politique sur les ondes de Radio-Canada. En quelques minutes à peine, Hubert Lacroix a multiplié les interventions auprès de la haute direction des Services français.

Pendant ce temps, Anne Sérode, qui était directrice de la Première Chaîne radio[8], ne savait pas ce qui se tramait à l'étage au-dessus du sien. Par contre, elle souhaitait clarifier les termes de l'entente surprise convenue entre les membres de son équipe et le chef démissionnaire du Bloc québécois.

Quelque peu inquiète, elle avait déjà demandé à Gilles Duceppe de venir la rencontrer à Radio-Canada afin de discuter avec lui des sujets qu'il aborderait à l'émission *Médium large*. La rencontre s'est déroulée au bureau d'Anne Sérode dans un climat très respectueux. Gilles Duceppe se réjouissait de participer à l'émission. Il croyait que tout était réglé, mais il découvrait que ce n'était pas le cas. Afin de mieux circonscrire le champ d'intervention de ses futures chroniques, on lui a proposé une nouvelle formule. Dans la discussion, il a bien compris qu'on voulait l'éloigner des sujets politiques. Après deux coups de téléphone, sa décision était prise : c'était non. Il ne retrouvait pas dans la proposition les termes de l'entente conclue quelques jours plus tôt avec le réalisateur de *Médium*

---

7. Patrick Beauduin a été directeur général de la Radio française de novembre 2010 à mai 2013. Il n'est plus à l'emploi de Radio-Canada et travaille maintenant comme consultant.

8. Anne Sérode a été directrice de la Première Chaîne de mars 2011 à mai 2013. Elle est maintenant responsable des programmes de France Bleu Roussillon.

large, Bernard Michaud, et l'animatrice Catherine Perrin. D'un commun accord, la directrice de la Première Chaîne et Gilles Duceppe ont décidé qu'il valait mieux mettre fin au projet. Le communiqué précisait :

> Montréal, mercredi 17 août 2011 – À la suite d'un malentendu sur la nature de son mandat, Gilles Duceppe a choisi de ne pas être chroniqueur hebdomadaire à l'émission *Médium large*[9].

J'ai rencontré Gilles Duceppe par la suite. Il m'a dit qu'il avait été outré, car il n'y avait pas eu de malentendu de son côté. C'est Radio-Canada qui avait fait volte-face sur les termes de l'entente originale !

La directrice de la Première Chaîne jure qu'elle n'a jamais su qu'il y avait eu des interventions politiques ou des pressions du président au moment où elle a rencontré Duceppe.

Parce que sinon, dit-elle, « j'aurais eu de la difficulté à faire les choses ». Ce n'est donc qu'après la rencontre avec Gilles Duceppe que Patrick Beauduin l'a informée des discussions et des pressions en haut lieu. Ce dernier avait voulu protéger sa collègue.

Anne Sérode ajoute : « Je n'ai jamais eu comme mandat de sortir Duceppe de nos ondes, car je ne savais pas ce qui se passait au douzième étage[10]. »

En ce qui me concerne, on avait tenté de me persuader d'assister à cette rencontre afin de « préciser les politiques journalistiques de Radio-Canada » à Gilles Duceppe. J'avais catégoriquement refusé. Je n'avais rien à faire là. En plus,

---

9. Communiqué de Radio-Canada, 17 août 2011.

10. Anne Sérode, entretien téléphonique du 3 avril 2014.

j'avais déjà pris connaissance du courriel de James Moore. Il n'en était donc pas question.

Je ne voulais surtout pas me faire le complice de cette opération, souhaitant conserver mon indépendance et mon intégrité. C'était un exemple flagrant d'absence d'étanchéité entre Radio-Canada et le pouvoir politique. Le ministre Moore n'avait pas à dicter les choix de la programmation, d'autant plus qu'il est normal pour Radio-Canada de présenter des chroniqueurs de toutes tendances politiques et que personne n'avait démontré que la présence de Gilles Duceppe à l'émission *Médium large* allait déséquilibrer l'éventail des opinions présentées.

Un mois plus tard, en septembre, le président est venu diriger lui-même la réunion du conseil de direction des Services français. Pour mes collègues et moi, il s'agissait d'une première réunion en l'absence de Sylvain Lafrance, qui devait quitter officiellement son poste de vice-président le mois suivant. Lors de cette rencontre, le président nous a annoncé qu'il nommerait un remplaçant intérimaire. Il en a aussi profité pour revenir abondamment sur le dossier de Gilles Duceppe.

Patrick Beauduin se souvient très bien de la scène : « Hubert avait dit quelque chose comme : "Quel manque de jugement, engager Duceppe à la radio !"[11]. »

En ce qui me concerne, j'étais assis face à Patrick Beauduin. Je me rappelle avoir vu mon collègue encaisser, abasourdi par un tel blâme devant tous les collègues.

L'ancien directeur général de la Radio française se rappelle aussi un détail important :

> Quand Hubert nous aborde, il fait un lien explicite entre les discussions qu'il a sur les prochains budgets et les

---

11. Patrick Beauduin, entretien téléphonique du 3 avril 2014.

risques que « nos » décisions font courir aux prochaines subventions publiques. Claire allusion au fait que nous devrions montrer plus de « compréhension » sinon plus de discrétion[12]…

Je peux témoigner que le président m'a également pris à partie lors de cette même réunion pour me dire qu'il y avait trop de propos anticonservateurs à l'antenne : « Je t'en ai déjà parlé, Alain… »

Anne Sérode, directrice de la Première Chaîne, se souvient elle aussi d'une autre intervention du même genre d'Hubert T. Lacroix, cette fois en avril 2012.

> Cette rencontre était une rencontre de cadres uniquement. Pas d'employés. Et c'était toutes plateformes confondues, télé/radio/web. Hubert a dit : « Nous ne sommes pas les seuls touchés par ces compressions, bien des ministères voient aussi leurs budgets réduits. Nous allons donc nous comporter comme de bons citoyens "corporatifs", nous n'allons pas contester ces compressions et je compte sur vous pour vous assurer que l'antenne ne soit pas utilisée pour que l'on s'apitoie sur notre sort[13]. »

Je veux être clair ici. Je crois que les dirigeants de Radio-Canada ont parfaitement le droit d'évaluer ce qu'ils entendent à l'antenne et de corriger le tir si cela s'avère nécessaire en raison d'un non-respect des normes journalistiques ou de la politique des programmes. Toutefois, un PDG qui se montre à ce point inféodé au pouvoir politique perd ce droit à mes yeux, parce qu'il a largement prouvé que son jugement était fondé sur des critères politiques qui n'ont rien à voir avec les règles du journalisme.

---

12. Patrick Beauduin, courriel du 3 avril 2014.

13. Anne Sérode, courriel du 19 juillet 2014.

Par ailleurs, s'il est vrai que les représentants du gouvernement menaçaient de couper les fonds quand ils n'aimaient pas ce qu'ils entendaient à l'antenne, il faut dire haut et fort qu'ils se livraient à un odieux chantage politique. Je veux bien comprendre qu'Hubert Lacroix se sentait coincé par ce chantage, mais il aurait dû savoir que plus on plie devant ce genre de tactique, plus on l'encourage.

Un ménage à la direction

Hubert Lacroix avait une autre idée derrière la tête. Il était en pleine opération de séduction auprès du gouvernement afin d'obtenir un renouvellement de son mandat à la présidence de la société d'État, lequel venait à échéance à la fin de 2012. Aussi avait-il préparé son plan de longue date.

Il devait d'abord montrer qu'il avait l'entreprise bien en main, qu'il était l'homme de la situation pour le gouvernement de Stephen Harper.

Première étape : se débarrasser de certains obstacles, en particulier de ses cadres les plus importants.

Si on remonte dans le temps, il a commencé par congédier le vice-président de CBC, Richard Stursberg, le 6 août 2010.

Hubert Lacroix a commenté ainsi le départ de son bras droit du côté de CBC :

> Nous sommes en train de mettre au point un nouveau plan stratégique qui guidera Radio-Canada/CBC au cours des cinq prochaines années. C'est l'occasion d'introduire un nouveau leadership aux services anglais afin de s'assurer que la haute direction fait front commun pour l'avenir du radiodiffuseur public[14].

---

14.   Hubert Lacroix, communiqué de Radio-Canada, 9 août 2010.

Afin de pourvoir le poste, le président a nommé Kirstine Stewart, mais au bout de trois ans, le « nouveau leadership » ne faisait pas suffisamment « front commun » au goût du président. Elle a été renvoyée elle aussi.

Depuis un certain temps, Hubert Lacroix cherchait en effet un motif pour se débarrasser de sa nouvelle vice-présidente du réseau anglais. Il avait découvert que le conjoint de Kirstine Stewart travaillait ouvertement pour l'équipe libérale de Justin Trudeau, avec qui il avait même organisé une rencontre à leur résidence familiale, au mépris du devoir de réserve de sa femme. Avec raison, je dois le reconnaître, cette faute de jugement avait indisposé le président. Peu de temps après, Kirstine Stewart démissionnait. Elle est devenue par la suite directrice de Twitter Canada.

Une fois le ménage fait aux Services anglais, Hubert Lacroix s'est attaqué aux Services français. C'était au tour de Sylvain Lafrance de se trouver dans le collimateur. Mais comment se débarrasser d'un vice-président dont les succès lui avaient valu tant de reconnaissance publique ?

Durant toute la saison 2010-2011, le président a talonné sans arrêt son vice-président, le critiquant sur tout et sur rien.

Voici un exemple de la mesquinerie dont il pouvait faire preuve. Lorsque Bernard Derome a quitté Radio-Canada après avoir été le symbole même du Service de l'information pendant tant d'années, Sylvain Lafrance croyait qu'il serait approprié de lui montrer un peu de reconnaissance et de marquer son départ en l'invitant à luncher. Après tout, l'événement était exceptionnel. Le vice-président voulait aussi proposer à Bernard Derome d'agir comme ambassadeur lors du soixante-quinzième anniversaire de Radio-Canada. Hubert Lacroix a contesté l'addition du repas, qui était pourtant des plus raisonnables, parce qu'il jugeait la dépense « injustifiée ». Il s'agit d'une simple anecdote, mais elle donne une idée du climat qui régnait entre les deux hommes.

Sylvain Lafrance a négocié son départ de Radio-

Canada et quitté définitivement son bureau le vendredi 21 octobre 2011.

Mon cher Alain, c'est à ton tour

Trois jours plus tard, une personne bien informée m'annonçait : « Après Sylvain, sache que tu es le prochain qu'on poussera à partir. » J'étais un peu saisi. Pourtant, je me doutais depuis un certain temps que mes jours à la direction de l'information étaient comptés.

J'avais même commencé depuis quelques mois à colliger de courtes notes dans un journal personnel, un peu comme l'avait fait Raymond David trente ans plus tôt[15].

Mon journal débute le 3 mai 2011, au lendemain des élections fédérales.

> 3 mai – Élections fédérales. Tout le monde commente la nouvelle : la vague orange a balayé le Bloc. La vraie nouvelle, c'est que pour la première fois de l'histoire de ce pays, un parti politique peut obtenir une majorité de sièges sans le Québec !

À partir du moment où j'ai appris que mon avenir était en jeu, une occasion s'est rapidement présentée et m'a permis de prendre la température de l'eau.

Nous étions le 22 juin 2011, quelques semaines après l'élection d'un gouvernement majoritaire. J'étais appelé à faire une présentation devant le conseil d'administration de Radio-Canada en compagnie du vice-président Sylvain Lafrance, qui devait annoncer ce jour-là au CA son intention de quitter son poste dès l'automne. Notre présentation avait

---

15. Voir les chapitres IV et V.

pour titre : « La diversité des voix dans le contexte de nos contenus de nouvelles, d'actualités et d'affaires publiques. Défis, perceptions et réalisations. »

Rappelons que les membres de ce conseil d'administration sont tous – sans exception, selon mes sources – des partisans du Parti conservateur. Nous insistions donc devant eux sur l'importance que nous accordions à la diversité des voix dans la programmation. Nous leur présentions également les conclusions du Centre d'études sur les médias, un organisme indépendant mandaté pour analyser la couverture électorale du Service de l'information de Radio-Canada. Voici un extrait du rapport intermédiaire du Centre :

> La grande concordance de nos résultats d'un média à l'autre, et d'une émission à l'autre, montre qu'il n'y a vraisemblablement pas de biais dans l'attention accordée aux différents partis en lice par les équipes de Radio-Canada[16].

Il n'y avait donc pas eu, selon les experts, de parti pris affiché par Radio-Canada.

La suite se trouve dans mon journal personnel :

> 22 juin – Présentation au CA à Ottawa sur l'équité/ équilibre. Ai été « varlopé » par P. Gingras sur couverture biaisée contre Harper et par R. Racine sur la soirée électorale. Moment difficile. Au retour, je dis à ma conjointe : « Ça sent pas bon… »

« Varlopé », c'est le mot juste. La fronde est venue de l'ancien maire de Blainville, ex-adéquiste, ancien responsable

---

16. Centre d'études sur les médias, *Rapport intermédiaire*, juin 2011. Le rapport final du Centre ne nous avait pas encore été communiqué à cette date, mais ses conclusions allaient dans le même sens.

de financement politique, Pierre Gingras. Lors de son intervention, il avait en mains le détail de toutes les manchettes du *Téléjournal*. Son objectif était de démontrer que l'information de Radio-Canada avait été « biaisée », pour reprendre son expression. Sa source provenait d'une liste dressée par la chaîne Radio X. Évidemment, devant un admirateur de Radio X, nos arguments ne pouvaient avoir aucun effet.

L'autre membre du conseil d'administration, Rémi Racine, pas encore président du CA à cette époque, n'était pas en reste. Même s'il était plus nuancé, il a quand même dit qu'il « avait eu honte de regarder la soirée électorale à Radio-Canada ».

Pendant ces interventions, le PDG Lacroix ne disait mot. L'air complice, il semblait totalement en accord avec les propos de ses collègues. Le message était clair. C'est ce que je voulais faire comprendre à ma conjointe lorsque j'ai dit : « Ça sent pas bon… »

Des liens directs avec le bureau du premier ministre

Outre ses bonnes relations avec James Moore, Hubert Lacroix ne se cachait pas pour dire ouvertement aux membres de la direction qu'il s'entendait très bien avec le chef de cabinet du premier ministre, Nigel Wright. Au moins une note de service publiée dans le site web de Radio-Canada[17] montre qu'ils lunchaient ensemble à l'occasion. Plusieurs sources me confirment qu'il ne s'agit pas d'un cas unique. Les deux hommes ont eu plusieurs contacts au cours des années 2011

---

17. « Dépenses », numéro de la demande A-2011-00082, numéro de déplacement 250002206, p. 218, [www.cbc.radio-canada.ca/fr/rendre-des-comptes-aux-canadiens/transparence-et-responsabilisation/acces-information/documents-rendus-publics/depenses/].

et 2012. Selon mes informations, ils avaient aussi des échanges téléphoniques réguliers en septembre, en octobre et en novembre 2011 lors des négociations entourant la mise en œuvre du Plan d'action gouvernemental pour la réduction du déficit (PARD).

Ils avaient peut-être d'autres sujets de discussion. D'après ce qu'on m'a révélé, Nigel Wright a été déterminant dans la décision du gouvernement de confier à Hubert Lacroix un second mandat à la présidence de Radio-Canada en 2012.

Suis-je le seul à penser qu'il est anormal que le président de CBC/Radio-Canada ait des contacts aussi rapprochés avec le chef de cabinet du premier ministre ? J'ai questionné à ce sujet son prédécesseur, Robert Rabinovitch. Il a exprimé quelques réserves.

Voici une traduction de sa réponse :

> Ce n'est pas normal, mais ça arrive à l'occasion. Je me rappelle avoir rencontré Jean Pelletier et [Eddie] Goldenberg[18] pour discuter des membres du conseil d'administration et en particulier de la performance d'un membre que je considérais comme irresponsable.

Et il a enchaîné avec cette phrase, déjà citée au chapitre VII :

> Je n'ai jamais discuté de programmation avec le Cabinet du premier ministre ni avec le ministre responsable de CBC et la plupart de ces gens étaient suffisamment

---

18. Il s'agit ici du Jean Pelletier qui a été maire de Québec de 1977 à 1989 et chef de cabinet de Jean Chrétien pendant onze ans. Il est décédé en janvier 2009. Eddie Goldenberg était le principal conseiller politique du premier ministre Jean Chrétien.

respectueux pour ne pas soulever de questions de programmation[19] [...].

Rappelons que l'ancien ministre conservateur Marcel Masse nous a dit qu'il rencontrait régulièrement le président de Radio-Canada de l'époque, Pierre Juneau, pour discuter principalement du mandat de la société d'État. Ces discussions me paraissent assez normales, puisque le ministre Masse réfléchissait alors à des amendements à la loi.

Bien sûr, il est important pour les présidents de Radio-Canada de pouvoir discuter avec les autorités politiques, entre autres pour protéger leurs budgets, mais à mon avis ils doivent toujours se demander où se situe leur premier devoir de loyauté. Doivent-ils se consacrer principalement à la défense de l'institution qu'ils dirigent ou simplement à l'exécution des ordres du gouvernement qui les a nommés ? Une chose est certaine, le juste équilibre dans les relations entre les politiciens et les dirigeants de Radio-Canada repose sur le sens éthique des uns comme des autres.

Certaines fortes personnalités ont mieux saisi que d'autres toute l'importance d'établir des limites. Je crois qu'on peut classer dans cette catégorie les Pierre Juneau, Tony Manera et Robert Rabinovitch. Et fort heureusement, au fil des ans, plusieurs vice-présidents et directeurs de l'information ont aussi su faire barrage contre les tentatives d'ingérence.

Une proposition empoisonnée

Revenons au plan d'action du président pour changer l'équipe qui l'entoure.

Le 20 juillet 2011, l'ombudsman de Radio-Canada, Julie

---

19. Robert Rabinovitch, courriel du 23 février 2014. Je traduis.

Miville-Dechêne, a démissionné. La ministre Christine St-Pierre annonçait peu après sa nomination à la présidence du Conseil du statut de la femme. Coup de chance pour le président ! Il y voyait une occasion de m'écarter en douce de la direction générale de l'information.

Le 21 juillet, il a donc mandaté Sylvain Lafrance pour qu'il m'offre sur-le-champ le poste d'ombudsman. Un peu téméraire, j'ai pris le risque de décliner la proposition, car je voulais poursuivre mon travail à la direction générale de l'information et, surtout, rester associé aux très nombreuses enquêtes journalistiques en cours. J'y tenais.

Quelques semaines plus tard, le 16 septembre, j'ai reçu un appel intrigant d'une agente de recrutement, m'invitant à devenir ombudsman. Je lui ai rappelé respectueusement que j'avais déjà refusé la proposition, que je passais mon tour, pour cette fois.

Extrait de mon journal personnel : « 16 septembre – Appel de V. K. pour le poste d'ombudsman. »

Nouvel appel de l'agente de recrutement, une semaine plus tard : « Vous n'avez pas changé d'idée ? – Non. » Elle m'a demandé conseil sur des candidatures potentielles. Je lui en ai proposé quelques-unes, dont celle de l'actuel ombudsman, Pierre Tourangeau.

Entre-temps, le président était à la recherche d'une autre candidature, celle-là pour la vice-présidence des Services français. Louis Lalande occupait le poste par intérim depuis le 22 septembre à cause du départ de Sylvain Lafrance. Il aurait aimé être titulaire du poste, mais Hubert Lacroix clamait qu'il cherchait une candidature à l'extérieur de Radio-Canada.

Il avait annoncé cela d'entrée de jeu au prétendant Louis Lalande. Plusieurs personnes de l'extérieur avaient d'ailleurs été rencontrées en septembre et en octobre, notamment Philippe Lapointe (qui avait occupé plusieurs postes de direction chez TVA, Pixcom et Transcontinental en plus d'être déjà passé par Radio-Canada) et Marc Blondeau (lui aussi un ancien de TVA ainsi que de Rogers Publishing, maintenant PDG de la Place des Arts). Le président avait manifesté clairement son intention de faire d'importants changements. De toute évidence, les discussions n'avaient pas été concluantes.

Début octobre, le PDG tenait sa perle rare. Il s'agissait d'une avocate, Anik Trudel. Il comptait annoncer sa nomination le 3 octobre, mais Me Anik Trudel a changé d'avis lorsque son employeur, la firme Edelman, lui a offert une importante promotion. Tout était à recommencer.

Diffuser ou ne pas diffuser ?

En octobre, j'ai dû faire face à un sérieux dilemme. L'équipe d'*Enquête* m'a annoncé détenir une bonne histoire de la journaliste Julie Vaillancourt sur des entreprises d'asphalte soupçonnées de se partager les contrats dans le Bas-Saint-Laurent et en Gaspésie. « Bravo ! Mais y a-t-il un problème ? » ai-je ajouté en remarquant leur mine inquiète.

« C'est parce qu'un des entrepreneurs appartient à la belle-famille du président. » Long silence…

Je n'avais pas le choix. Des principes importants étaient en jeu. Si cette information était véridique et d'intérêt public, nous ne pouvions la cacher. De toute façon, ce n'était pas mon style. Et l'équipe d'*Enquête* le savait. J'ai donc donné mon accord. « Assurez-vous par contre que tout est vérifié, deux fois, trois fois, plutôt qu'une. Je ne veux pas qu'on puisse nous reprendre sur le moindre détail inexact ! »

De fait, même des enquêteurs de la commission Charbonneau ont examiné ce dossier par la suite, y voyant comme nous matière à investigation[20]. Je n'ai pas informé le président

---

20. Commission d'enquête sur l'octroi et la gestion des contrats

de l'existence de ce reportage. Je souhaitais garder mon entière liberté d'action jusqu'à sa diffusion et protéger du même coup l'équipe d'*Enquête*. Le reportage a été diffusé le 13 octobre.

À la date du 14 octobre, il y a deux notes dans mon journal personnel. La première dit que j'ai louangé l'émission *Enquête* lors de la réunion hebdomadaire du midi avec mon équipe de chefs de service.

> 14 octobre – À la réunion de rédacteurs en chef, je souligne l'indépendance des journalistes de Radio-Canada et de la direction de l'information, et la liberté éditoriale de diffuser tout sujet en donnant le reportage d'*Enquête* de la veille pour exemple.

L'autre note me concerne davantage. À 14 h, je devais rencontrer Louis Lalande, vice-président des Services français par intérim.

Je le connaissais depuis longtemps. Nous avions été collègues au sein de la direction générale sous Sylvain Lafrance, lui responsable des régions, moi de l'information. De haute taille, toujours quelque peu nerveux, il avait été un spécialiste des émissions spéciales dans les années 1980. En 1992, il avait même été pendant quelques mois mon réalisateur coordonnateur à l'émission *Le Point*. Plus tard, il a quitté Radio-Canada afin de mettre sur pied Le Canal Nouvelles (LCN), le concurrent de RDI. À son retour, il a dirigé le secteur des opérations techniques, puis est devenu directeur général de l'information télé en 2004. Les journalistes du Service de l'information ont toujours eu de la difficulté à considérer Louis Lalande comme un membre de la profession, ce qui constituait un handicap pour lui. Certaines personnes ont cru qu'il

---

publics l'industrie de la construction (CEIC), rapport d'entrevue, nº de dossier 2010-11-004.

m'en voulait personnellement depuis que le vice-président Sylvain Lafrance m'avait préféré pour devenir patron de l'information en 2006. En ce qui me concerne, je ne me suis jamais senti en compétition avec lui. J'avais l'habitude de lui parler toujours sans détour. C'est ainsi que s'est déroulée cette rencontre en octobre, comme en témoignent mes notes personnelles.

> 14 octobre – « Offre » de Louis Lalande à 14 h à son bureau : « Ombudsman, ça t'intéresse pas ? » J'ai jusqu'à lundi pour me décider.
>
> Autrement dit, il me presse de reconsidérer mon refus d'être candidat au poste d'ombudsman.
>
> — Es-tu mandaté par quelqu'un pour me faire cette « proposition » ? lui ai-je demandé. Qu'a-t-on à me reprocher ? Mes enquêtes ?
>
> — Non, non, les enquêtes, c'est très bon ce que tu as fait, ça t'appartient. Mais les choses vont changer radicalement au cours des prochains mois. Ce ne sera pas facile.
>
> — À quel pourcentage tu évalues les chances que je sois congédié si je ne me porte pas candidat au poste d'ombudsman ?

Tel que je le connaissais, j'étais convaincu qu'il éviterait de répondre. Erreur ! « À 80 % ! » Les choses avaient le mérite d'être claires.

J'étais presque assommé. C'était un vendredi et je n'avais que jusqu'au lundi suivant pour prendre ma décision.

Soyons transparent ! Il est vrai que le poste d'ombudsman ne m'attirait pas outre mesure, mais je n'étais quand même pas suicidaire. J'avais besoin d'un peu de temps pour évaluer trois options. Quelles étaient-elles ?

• Accepter d'être un candidat de dernière minute pour le poste d'ombudsman ;

- Démissionner et devancer ma retraite ;
- Poursuivre mon travail jusqu'à ce que la guillotine me tranche le cou…

Le lundi, j'ai demandé un délai supplémentaire d'une journée pour regrouper toutes les informations dont j'avais besoin pour faire mon choix. Je note dans mon journal : « 17 octobre – rencontre avec Louis à 9 h à son bureau. Ai besoin de 24 heures pour consulter. Me donnera des nouvelles. »

La journée a été longue, jusqu'à l'appel du vice-président par intérim en fin d'après-midi.

17 octobre – 17 h 38 : refus de retarder de 24 heures la date butoir pour déclarer ma candidature au poste d'ombudsman.

« Qu'est-ce qui arrive maintenant, Louis ?

— Je ne sais pas, je ne sais vraiment pas. »

Il ne me restait donc plus qu'une seule option : attendre d'être congédié. J'avais écarté la démission.

Mes quatre derniers mois à Radio-Canada m'ont donné l'impression d'être un condamné en attente d'exécution.

J'en ai profité pour faire un peu le bilan des dernières années. Je me suis félicité entre autres d'avoir choisi de m'entourer de cadres de fort calibre, comme Pierre Tourangeau à la direction des nouvelles, Luce Julien à RDI et Jean Pelletier aux affaires publiques. Ils font partie de cette équipe qui, avec moi, a osé diffuser des reportages d'enquête très dérangeants.

J'ai continué aussi de jouer activement mon rôle de directeur général en gérant les affaires courantes et en continuant d'accompagner les enquêtes journalistiques. J'ai aussi bloqué quelques-unes des propositions provenant du secteur des ventes. À ce sujet, la tâche était devenue plus ardue, car la soif de revenus poussait de plus en plus la direction à ignorer les règles du code publicitaire[21] de Radio-Canada.

Historiquement, ce code exemplaire a permis d'imposer des normes de qualité aux commanditaires et de protéger l'indépendance et la crédibilité des émissions d'information. En cela, Radio-Canada a donné l'exemple pendant des décennies et a certainement influencé toute l'industrie publicitaire. L'époque est malheureusement révolue. Depuis quelques années, de nouvelles formes de publicités plus ou moins subreptices, pas toujours clairement identifiées, sont devenues subitement acceptables.

Ce changement n'a pas échappé à l'ancienne animatrice de Radio-Canada et ancienne ministre péquiste Lise Payette, maintenant chroniqueuse au *Devoir* :

> Autrefois, Radio-Canada refusait parfois des commandites parce que la chose qu'on voulait vendre était de mauvais goût ou n'avait pas la qualité requise, ou parlait un mauvais français. Nous n'en sommes plus là. On peut annoncer n'importe quoi, n'importe comment, à condition de payer le prix demandé par la grande maison[22].

---

21. « Le contenu des émissions ou des sites Web de la Société ne doit pas être perçu comme étant influencé par les messages de publicité ou de commandite diffusés à l'intérieur ou à proximité immédiate des émissions ou des sites en question. Il doit toujours être évident pour le public que les produits, services ou opinions qui lui sont présentés le sont dans le cadre de messages publicitaires. » Radio Canada, *Code publicitaire*, [www.cbc.radio-canada.ca/fr/rendre-des-comptes-aux-canadiens/lois-et-politiques/programmation/code-publicitaire/]. Plus de détails à cette autre adresse : www.cbc.radio-canada.ca/fr/rendre-des-comptes-aux-canadiens/lois-et-politiques/programmation/politique-des-programmes/1-1-10/.

22. Lise Payette, « Stephen Harper va s'en laver les mains », *Le Devoir*,

La recherche à tout prix de revenus publicitaires a permis au secteur des ventes de prendre en otage la programmation de la télévision. D'ailleurs, mes collègues des directions générales de programmes et moi avions bien saisi que le titre du responsable des ventes était « premier » directeur général. Nous, des programmes, étions les seconds… Lorsqu'une émission ne marchait pas en heure de grande écoute, ses jours étaient comptés. Au cours des deux dernières années, j'avais dû me battre plusieurs fois pour protéger l'heure de diffusion d'*Une heure sur terre*, le vendredi à 21 h. Finalement, l'émission animée par Jean-François Lépine a été abandonnée une année après mon départ. D'autres suivront ; scrutées à la loupe par les représentants commerciaux, elles attendent leur heure… Car, dans l'évaluation des émissions, les revenus prévalent sur le rôle distinct d'un diffuseur public. Les revenus, c'est le nouveau credo de l'entreprise. L'augmentation du temps publicitaire à l'antenne le démontre bien.

La nouvelle armada du Service des ventes constitue la planche de salut du service public. Résultat : depuis 2012, l'espace publicitaire à la télévision a augmenté de 33 %, passant de douze à quatorze – parfois jusqu'à seize – minutes l'heure. Rappelons-nous qu'il y a quelques années tout le monde avait été scandalisé quand l'espace publicitaire avait été augmenté de huit à douze minutes l'heure. Une augmentation de deux minutes au *Téléjournal* avait également provoqué un tollé.

Dans les réunions de direction auxquelles je participais, on m'a reproché ouvertement d'être trop préoccupé par l'« éthique » et pas assez par la recherche de revenus.

Ainsi, j'avais refusé une publicité de la Fédération des médecins spécialistes du Québec qui imitait la formule d'un reportage pour donner une belle image de la profession de

---

30 mai 2014, [www.ledevoir.com/politique/canada/409589/stephen-harper-va-s-en-laver-les-mains].

médecin spécialiste. Ce publireportage devait être diffusé durant les pauses publicitaires du *Téléjournal*. Ce refus me paraissait nécessaire, parce qu'au même moment nous assistions à un affrontement entre le président de la Fédération des médecins spécialistes, Gaétan Barrette, et le gouvernement du Québec. Et bien sûr, il était fort possible que le *Téléjournal* doive aborder ce sujet d'actualité. Jusqu'alors, l'éthique de la maison avait toujours permis de refuser la diffusion de messages publicitaires à teneur politique dans la plage horaire d'une émission de nouvelles. Cette règle était – et est encore – cruciale pour la crédibilité des émissions.

Plus tard, on m'a également reproché d'avoir refusé que le voyage d'un journaliste à Paris soit payé par la maison de production de Steven Spielberg pour le lancement international du film en 3D *Les Aventures de Tintin*. Or ce voyage contrevenait à une autre règle d'or, dûment inscrite dans les *Normes et pratiques journalistiques*[23] de même que dans la politique des programmes[24]. À mon avis, pouvoir présenter

---

23. « Voyages gratuits : L'acceptation de voyages gratuits pour préparer un reportage ou une émission nous place en conflit d'intérêts. Les dispositions de la politique de Radio-Canada sur les frais de mission sont traitées dans la politique institutionnelle. » Radio-Canada, *Normes et pratiques journalistiques,* [www.cbc.radio-canada.ca/fr/rendre-des-comptes-aux-canadiens/lois-et-politiques/programmation/journalistique/conflits/].

24. « Les frais de mission ne sauraient échapper au contrôle de la Société sans risque d'influence extérieure irrégulière sur le contenu des émissions ou d'accusations en ce sens. Il faut protéger les émissions de la CBC/Radio-Canada contre toute influence extérieure indue ou tout soupçon en ce sens. Les frais de déplacement et de séjour font partie des coûts de production. Ils ne doivent pas être assumés par des organismes externes pour des émissions d'information ou d'actualités conformément aux Normes pratiques journalistiques de la CBC/Radio-Canada. » Radio-Canada, *Politique des programmes,* [www.cbc.

des reportages libres de commandites fait partie des raisons d'être fondamentales d'un service public d'information. J'ai pu conserver ma liberté éditoriale comme patron du service de l'information, mais l'atmosphère était de plus en plus lourde.

À la même époque, plusieurs personnes de la haute direction de Radio-Canada et de CBC ont aussi insisté pour que le Service de l'information participe à un méga documentaire afin de souligner l'anniversaire de la guerre de 1812[25]. C'était devenu un dossier important pour le ministre du Patrimoine, James Moore, et pour le premier ministre, Stephen Harper. En 1812, les États-Unis avaient déclenché cette guerre pour disputer le territoire canadien à l'Empire britannique. Le gouvernement Harper estime que cette guerre a joué un rôle central dans l'affirmation de l'indépendance canadienne. Ce point de vue ne fait pas l'unanimité chez les historiens, notamment au Québec.

À titre de directeur de l'information, j'ai décidé de refuser de détourner une partie du budget de l'information au profit de cette opération qui avait des allures de propagande.

Visiblement, je n'étais pas le seul patron de presse à voir les choses de cette façon. Voici ce qu'en disait l'éditorialiste en chef de *La Presse*, André Pratte :

> Ce qui est inquiétant ici, c'est que le gouvernement Harper prenne la chose à cœur, comme il l'a fait dans le cas des symboles de la monarchie. On peut craindre que les

---

radio-canada.ca/fr/rendre-des-comptes-aux-canadiens/lois-et-politiques/programmation/politique-des-programmes/1-1-12/].

25. Voir le site du gouvernement du Canada, *La guerre de 1812*, et plus particulièrement la page « Héros de la guerre de 1812 », 1812.gc.ca/fra/1317828221939/1317828660198.

conservateurs ne se servent d'une version caricaturale de l'histoire de la guerre de 1812 pour « mousser », à leur profit, le nationalisme canadien[26].

Mon dossier personnel ne s'améliorait pas... En revanche, en novembre 2011, les reportages d'*Enquête* remportaient la vaste majorité des prix Judith-Jasmin lors du congrès annuel de la FPJQ. J'étais ravi ! C'était pour moi la plus belle reconnaissance du travail accompli par Radio-Canada.

Le bon élève

Pendant ce temps, Hubert Lacroix préparait d'autres compressions.

En fait, le président a passé son temps à établir des scénarios de compressions et de réaffectations à compter de 2009. La première série de coupes faisait naturellement suite à l'impact de la crise économique de l'automne 2009. En 2010, il a engagé le groupe Bain & Company, une entreprise de consultation internationale pour la gestion d'entreprises, afin de brasser à nouveau toutes les cartes pour réaffecter de l'argent au financement de son plan stratégique 2010-2015, *Partout, pour tous*. Tous le membres de la direction générale ont dû faire des propositions de réductions dans leur secteur. Vingt-deux millions de dollars devaient être trouvés dans les Services français afin d'être redirigés pour que soient atteints les objectifs du plan stratégique. La situation s'est gâtée en 2011-2012. C'est que le Conseil du Trésor a

---

26. André Pratte, « Caricaturer 1812 », *La Presse,* 12 octobre 2011, [www.lapresse.ca/debats/editoriaux/andre-pratte/201110/12/01-4456365-caricaturer-1812.php].

annoncé durant l'été 2011 la mise en œuvre du Plan d'action pour la réduction du déficit (le PARD), qui allait toucher tous les ministères et agences, y compris Radio-Canada. Le plan pour Radio-Canada devait être déposé avant le 31 mars 2012. C'était le branle-bas au sein de la direction. Au total, la compression allait atteindre 115 millions de dollars pour Radio-Canada et CBC, dont 36 millions proviendraient des Services français, 49 millions des Services anglais et 30 millions de différentes sources, comme la fermeture des émetteurs analogiques et le report de projets immobiliers.

Toute la garde rapprochée du PDG partageait ses buts et ses plans, mais elle n'était pas la seule. Pour cet exercice, Hubert Lacroix était toujours en contact direct avec le Cabinet du premier ministre et les fonctionnaires du Secrétariat du Conseil du Trésor.

Selon mes sources, en 2009 déjà, Hubert Lacroix avait présenté son plan détaillé de compressions budgétaires au ministre Moore, avant même de le déposer pour approbation au conseil d'administration. Il en a été de même pour les compressions reliées au PARD de 2012.

Ce qu'il y a de particulier dans ce cas, c'est que le Conseil du Trésor demandait moult détails sur les services où allaient s'appliquer les réductions, sur les productions qui seraient touchées, et même sur les émissions de la programmation. On n'avait jamais vu Radio-Canada se dénuder ainsi devant une instance politique. Le président de Radio-Canada s'y est prêté de bonne grâce. Par exemple, on a informé le Secrétariat du Conseil du Trésor du projet d'introduire de la publicité aux antennes de CBC Radio Two et d'Espace Musique pour des revenus additionnels de 20 millions. On a indiqué avec précision qu'on allait se séparer de quarante-trois employés permanents sur un total de soixante-sept à Radio-Canada International et qu'on prévoyait l'arrêt de la production de contenus en langues russe et portugaise. On a aussi signalé l'intention d'augmenter le temps d'antenne destiné à la publicité pour le faire passer de douze à quatorze minutes l'heure, ce qui allait procurer près de 40 millions en nouveaux revenus. Le diable est dans les détails. On a annoncé l'abolition du fonds de 10 millions pour la programmation transculturelle qui permettait à Radio-Canada et à CBC de jumeler leurs efforts afin de produire de grands documentaires comme *Amour, haine et propagande*. Cette mesure a permis d'abolir neuf emplois. Et il y en a encore, mais la liste est trop longue. La direction fournissait tellement d'informations sur ses choix de coupes possibles que cela permettait au ministre de donner son avis sur chaque décision.

À ma connaissance, Radio-Canada n'était jamais allée aussi loin pour faire connaître ses intentions lorsqu'une réduction budgétaire devait être appliquée. Le Conseil du Trésor a sans doute forcé la note de son côté, mais le président de Radio-Canada a manifesté fort peu de résistance. C'était véritablement du jamais-vu.

Mais il y a pire. Il n'y a pas qu'avec ce ministère qu'Hubert Lacroix a voulu se montrer bon élève. Avec zèle, il informait aussi directement le Cabinet du premier ministre semaine après semaine des préparatifs de cette réduction. En effet, selon mes sources, il parlait ouvertement de ses échanges réguliers avec le chef de cabinet du premier ministre, Nigel Wright. Ça, c'est unique !

Un nouveau vice-président, Louis Lalande

Le président était par ailleurs toujours à la recherche d'un vice-président des réseaux français pour l'appuyer dans son plan stratégique. Le 12 janvier 2012, il nous a annoncé qu'il l'avait enfin trouvé : « Je cherchais un candidat à l'extérieur, sans me rendre compte que la perle rare était ici même à Radio-Canada. Votre nouveau vice-président, c'est Louis [Lalande]. » Les applaudissements de circonstance ont suivi.

Selon mes informations, ragaillardi par le retrait de la candidature d'Anick Trudel – la « perle rare » de l'extérieur –, le nouveau vice-président, d'abord écarté au début du processus de sélection, avait relancé sa candidature dans les semaines suivantes. Visiblement, comme le démontre la suite des choses, il s'était aussi montré prêt à accomplir tout ce qu'il fallait pour bien servir les plans du président. Y compris congédier le directeur de l'information.

Le 22 février 2012, j'ai donc été convoqué au bureau du nouveau vice-président, qui m'a annoncé que mon association avec Radio-Canada s'arrêtait là. Il allait y avoir du changement et je ne faisais plus partie des plans, a-t-il précisé. Je m'y attendais, mais c'était tout de même un choc, un deuil.

Le lendemain, tôt le matin, j'ai complété la rédaction de mon communiqué à l'intention du personnel avec ces quelques phrases :

> Je regrette de vous laisser dans une telle tourmente, mais sachez que ce n'est pas mon choix. […] Depuis 1984, j'ai consacré ma vie à soutenir l'institution qu'est Radio-Canada. C'est un joyau unique et inestimable. […]
> J'ai toujours tenté d'exercer une direction indépendante et libre, rejoignant ainsi le fait que je suis un homme libre qui a des valeurs à défendre.

Vers midi, un communiqué de la vice-présidence annonce mon départ de la direction. Louis Lalande souligne que sous la direction de M. Saulnier « […] l'enquête journalistique à Radio-Canada a pris un essor remarquable et remarqué, créant un impact réel dans la vie sociale et démocratique de nos concitoyens ».

C'est un choc pour le personnel du Centre de l'information. Très peu de gens étaient au courant de ce qui se tramait en coulisse depuis plusieurs mois.

Trois représentants syndicaux se sont présentés à mon bureau pour obtenir des éclaircissements. L'une pleurait. Moi aussi.

« Tu comptes convoquer une réunion des employés ? » Je ne m'en sentais pas capable. Je leur ai simplement répondu que je publierais mon propre communiqué au personnel à 15 h et qu'alors seulement je descendrais au Centre de l'information afin de les saluer, sans plus.

À 15 h, je suis descendu, mon communiqué à la main. La suite, à laquelle je ne m'attendais pas du tout, a été mémorable. Dès mon apparition, des dizaines de personnes se sont attroupées autour de moi, quelques-unes ont déclenché une salve d'applaudissements nourris qui n'en finissait plus. Du coin de l'œil, je voyais l'animateur de RDI Michel Viens qui aurait bien aimé que j'aille en ondes expliquer les raisons de mon départ. J'ai refusé. Sans arrêt, je voyais arriver de nouveaux groupes d'employés dans la salle. On m'a raconté que les ascenseurs étaient remplis à craquer de gens qui descendaient de la tour en direction du Centre de l'information.

Ce moment particulier est sauvegardé sur YouTube[27].

On m'a confié par la suite que la haute direction regardait nerveusement, en direct, toute la scène qui se déroulait au Centre de l'information.

« Il vaut mieux voir une telle marque d'affection de son vivant qu'au salon mortuaire », ai-je ironisé, en larmes.

Une employée du Service des nouvelles a poussé l'audace jusqu'à écrire au président pour protester contre mon congédiement. Dans la réponse qu'il lui a fait parvenir, Hubert Lacroix refuse toute responsabilité. Il vaut la peine de transcrire ici cette réponse :

---

27. « Hommage à Alain Saulnier en direct à RDI », 23 février 2012, [youtube/5720tWH0A54].

J'ai bien lu ta note. Tu as droit à tes opinions. Mais j'ai une question pour toi : pourquoi m'écris-tu à ce sujet ? Penses-tu vraiment que c'est moi qui choisis les DG qui travaillent au sein des Services français ? Ne crois-tu pas plutôt que tu devrais avoir le courage de tes propos et les faire connaître directement à Louis [Lalande] ? Cheers

La semaine suivante, j'ai été invité à participer à l'émission *Tout le monde en parle*. J'ai décliné la proposition, car je ne savais pas trop comment expliquer les choses. Aujourd'hui, je peux en parler en meilleure connaissance de cause, car j'en sais beaucoup plus sur les faits qui ont entouré la décision.

En fait, une partie du plan du président venait de se concrétiser. Je suis conscient que j'ai été dans l'opposition au sein de la direction. Opposé à un exercice qui me paraissait dénaturer le service public, j'ai toujours exprimé franchement mes opinions, défendu les mêmes principes, les mêmes valeurs. Je sais que d'autres se battent aussi, encore aujourd'hui, et ils ont tout mon respect.

Renouvellement de mandat

Après plusieurs mois d'échanges fréquents avec Nigel Wright et d'empressement à répondre aux moindres demandes de James Moore, Hubert Lacroix a finalement obtenu ce qu'il voulait. Il a gagné. Le 5 octobre 2012, le ministre annonçait le renouvellement de son mandat pour cinq ans à la présidence de Radio-Canada[28]. Une première. Dans le passé, quelques présidents ont obtenu des prolongations d'un an

---

28. Patrimoine canadien, « Le gouvernement du Canada annonce le renouvellement d'une nomination à CBC/Radio-Canada », 5 octobre 2012, [www.pch.gc.ca/fra/1349460783648/1349461398933].

ou deux, mais jamais un renouvellement de mandat complet pour cinq ans.

Cette fois, c'est clair que le rôle de Nigel Wright a été déterminant. Une autre personne a influencé cette décision : le président du conseil d'administration, Rémi Racine. Il était satisfait et l'a fait savoir à ses collègues :

> J'ai le plaisir de vous annoncer que l'honorable James Moore, ministre du Patrimoine canadien et des Langues officielles, a confirmé aujourd'hui la nomination d'Hubert T. Lacroix pour un deuxième mandat de cinq ans comme président-directeur général de CBC/Radio-Canada, une excellente nouvelle pour le radiodiffuseur public du Canada. Chose certaine, le conseil a, de son côté, appuyé de façon unanime la nomination d'Hubert. Ce renouvellement constitue un vote de confiance à l'endroit d'Hubert et un appui à notre stratégie, 2015 : *Partout, pour tous, http://cbc.radio-canada.ca/fr/decouvrez/ strategies/strategie-2015/*, ainsi qu'à notre vision d'être le leader [*sic*] pour exprimer la culture et enrichir la vie démocratique[29].

On ne touche pas au nom de Radio-Canada

En juin 2013, James Moore a dénoncé la décision de Radio-Canada de changer de nom et d'adopter la dénomination « ICI ».

Toucher au nom de Radio-Canada est un pari risqué.

En 1995 déjà, sous le règne du premier ministre Jean Chrétien, la direction avait souhaité modifier le nom de

---

29. Rémi Racine, président du conseil d'administration de CBC/ Radio-Canada, lettre aux membres du CA, 5 octobre 2012.

Radio-Canada, surtout pour faire disparaître le mot *radio*, qui n'était plus très représentatif des activités de la Société. Elle avait choisi le sigle SRC, pour faire pendant à CBC et se conformer à l'usage des dénominations de trois lettres, en usage dans la plupart des grandes télévisions du monde.

Un projet en ce sens avait été proposé par Robert Patillo, vice-président aux communications. Le moment était bien mal choisi. Nous étions au lendemain du dernier référendum, dont Jean Chrétien digérait encore mal les résultats serrés. Il avait d'ailleurs accusé Radio-Canada « d'avoir mal défendu l'unité canadienne ».

La direction avait subi beaucoup de pressions par l'intermédiaire de certains membres du conseil d'administration, présidé à l'époque par Guylaine Saucier. On accusait la société d'État de vouloir supprimer le mot *Canada* de son nom et on y voyait un complot de « séparatistes ». Selon mes sources, les pressions provenaient directement du gouvernement.

L'esprit revanchard du gouvernement libéral flottait dans l'air. Le nom de « Radio-Canada » est resté et le drapeau canadien est ensuite apparu sur toutes les antennes paraboliques.

Dans le cas de la saga « ICI », la question n'est pas de savoir s'il était justifié ou non de vouloir remplacer le nom de la « marque » ou la dénomination Radio-Canada par « ICI ». C'est plutôt de voir comment cette tentative a ouvert la porte à une intervention politique du ministre.

Reprenons le fil des événements. En janvier 2013, la direction des Services français présentait son projet de changement au conseil d'administration présidé par Rémi Racine. Il était approuvé et salué par des applaudissements. Peu de temps après, lorsque le ministre Moore a critiqué la décision, Hubert Lacroix a fait volte-face. Le ministre du Patrimoine canadien a salué ce revirement : « Notre position, c'est très clair, c'est que la perception du Canada doit être très claire dans le *branding* autour de la chaîne. C'est très important pour nous[30] », a-t-il déclaré.

Dans l'opinion publique, Radio-Canada a certainement perdu quelques plumes et donné l'impression que le ministre décidait tout pour elle.

Je ne conteste pas ici le droit du gouvernement fédéral de choisir les noms des institutions qui relèvent de son autorité. Je remarque simplement que les politiciens jugent essentielle la présence du mot *Canada* dans le nom du réseau français alors que pour le réseau anglais il suffit que le mot *Canadian* soit représenté par une initiale dans le sigle CBC (Canadian Broadcasting Corporation). C'est en ce sens que je parle ici d'interventions politiques.

En attendant, la télévision de Radio-Canada continuera de porter le nom anachronique de « radio ».

De compressions en compressions

Depuis mon départ au printemps 2012, Hubert Lacroix continue de concrétiser les objectifs du gouvernement conservateur. Il réduit la taille du service public, procède à son démantèlement et dilue ainsi sa pertinence.

En 2012, le président avait annoncé une deuxième série de compressions de 115 millions de dollars reliées aux exigences du Plan d'action pour la réduction du déficit (le PARD). Qu'à cela ne tienne, il y en a eu une troisième en avril 2014. Cette fois, on parle de 130 millions entraînant la suppression de 657 emplois, dont 312 au réseau français.

---

30. Cité dans Stéphane Baillargeon, « ICI retrouve Radio-Canada », *Le Devoir,* 11 juin 2013, [www.ledevoir.com/societe/medias/380441/ici-retrouve-radio-canada].

À peine trois mois plus tard, le 26 juin 2014, il a déposé son plan stratégique 2015-2020, qui comporte la mise à pied et le départ à la retraite de 2 500 personnes supplémentaires ! C'est le grand démantèlement qui est en marche. Pour consoler les employés menacés, Radio-Canada n'a rien trouvé de mieux que de leur offrir les services d'un psychologue et d'un conseiller en recherche d'emploi.

Bien sûr, on se veut moderne. Le président clame sur toutes les tribunes qu'il veut négocier à vitesse grand V le passage à l'ère numérique. Il a même manifesté « une grande fierté » – ce sont ses mots – en annonçant son plan à tous ses cadres réunis en conférence téléphonique. Cette fois-là, il a atteint un summum dans l'art de déguiser les mauvaises nouvelles en bonnes nouvelles. Mais personne n'est dupe.

Depuis le début de 2014, le président est de plus en plus pris à partie à l'extérieur, mais aussi à l'intérieur de la Maison, où il a définitivement perdu la sympathie que le personnel lui accordait à ses débuts. Plusieurs crient à la complicité avec les vues du gouvernement Harper, qui n'aime pas Radio-Canada ni CBC. La réaction est légitime, compte tenu du gâchis.

Voici une critique directe et plutôt bien formulée par Francine Pelletier, chroniqueuse au *Devoir* et ancienne journaliste et réalisatrice, à Radio-Canada comme à CBC :

> En d'autres mots, M. Lacroix semble plus inquiété par « l'écosystème » de la radiodiffusion que par le magnifique animal dont il est le gardien, plus soucieux de ce qu'il faut couper pour obéir aux autorités constituées que de ce qu'il faut faire pour sauver, pas seulement les meubles, mais l'âme même de Radio-Canada[31].

---

31. Francine Pelletier, « Ici Radio-Compression », *Le Devoir*, 14 mai 2014, [www.ledevoir.com/societe/medias/408170/ici-radio-compression].

Néanmoins, Hubert Lacroix a l'appui de la ministre du Patrimoine, Shelley Glover, dont voici la réaction au dernier plan stratégique :

> Comme société d'État indépendante, CBC/Radio-Canada est responsable de son propre fonctionnement, ce qui comprend une planification stratégique comme celle-là. Comme nous le faisons pour l'ensemble des sociétés d'État et des organismes gouvernementaux, nous l'encourageons à tirer parti de moyens nouveaux et plus efficients pour mener ses activités[32].

---

32. Gouvernement du Canada, « Déclaration de la ministre du Patrimoine canadien, Shelly Glover, au sujet de CBC/Radio-Canada », 26 juin 2014, [nouvelles.gc.ca/web/article-fr.do?nid=862569].

CHAPITRE XI

Le démantèlement

On se demande pourquoi les conservateurs n'aiment pas Radio-Canada. À l'origine de leur attitude négative, on trouve bien sûr leur idéologie politique de base. En fait, ils ne voient pas la pertinence d'entretenir un service public de radio et de télévision, puisque les entreprises privées sont à leurs yeux capables de répondre aux mêmes besoins. Pour ce parti, le gouvernement doit entrer le moins possible en compétition avec le secteur privé. C'est l'entreprise privée qui est le principal moteur de l'économie.

À certains égards, le gouvernement Harper et les gouvernements libéraux de Pierre Trudeau et de Jean Chrétien partagent la même perception de Radio-Canada. Tous n'y ont vu qu'un repaire de gauchistes et un « nid de séparatistes ». Chez Stephen Harper, cette perception s'ajoute à la pensée conservatrice, qui prône le moins d'État possible.

Cela dit, le gouvernement Harper, un peu à l'image de celui de Pierre Trudeau avant lui, se comporte comme s'il était l'unique propriétaire de Radio-Canada. À la différence que, depuis leur arrivée au pouvoir, les conservateurs agissent comme des propriétaires qui négligent volontairement leur propriété et la laissent se détériorer jusqu'au point où il ne restera plus qu'à la démolir.

De plus, les conservateurs veulent éviter autant que possible le débat politique sur le sujet. Un peu comme pour l'avortement. La plupart d'entre eux sont opposés à l'avortement, mais le premier ministre ne souhaite pas faire trop de vagues. Il laisse donc quelques-uns de ses députés déployer leurs stratégies. Pour le diffuseur public, c'est la politique du laisser-faire et de l'étranglement qui constitue la voie choisie, la solution la plus astucieuse. Asphyxier et forcer la direction de l'entreprise à procéder graduellement à son démantèlement. D'autres observateurs ont aussi évoqué un scénario ultime, notamment Lise Payette : « Mais Stephen Harper va continuer à couper. À moins qu'il ne décide de vendre à l'entreprise privée. Il en est bien capable[1]. »

L'hypothèse n'est pas farfelue. Rappelons que le scénario de la vente de la télévision de CBC et de Radio-Canada avait déjà fait partie des plans de l'ancien député Jim Abbott[2]. Plusieurs autres députés conservateurs appuient l'idée de démanteler CBC et Radio-Canada.

Nous n'en sommes pas encore tout à fait là, car le gouvernement préfère éviter le débat public. Mais en attendant, l'asphyxie fait son œuvre. Quant à une vente éventuelle, elle pourrait se réaliser en pièces détachées.

Lacroix applique le scénario du démantèlement

Certes, les compressions font partie intégrante de l'histoire du diffuseur public. On se souvient qu'en mars 1995 le président Tony Manera avait même démissionné en protestation.

Visiblement, l'idée n'a pas effleuré l'esprit d'Hubert Lacroix. En avril 2014, il encaissait la troisième série de com-

1.   Lise Payette, « Stephen Harper va s'en laver les mains », *Le Devoir*, 30 mai 2014, [media2.ledevoir.com/politique/canada/409589/stephen-harper-va-s-en-laver-les-mains].

2.   Jim Abbott a été député à la Chambre des communes de 1993 à 2011. Plus de détails au chapitre VIII.

pressions majeures depuis son arrivée en poste en évitant toujours autant que possible de critiquer le gouvernement.

Et ce n'est pas fini, puisque son dernier plan stratégique quinquennal axé sur le virage numérique[3], déposé en juin 2014, annonce une véritable saignée.

S'il avait été fin stratège, le président aurait trouvé une façon d'exposer les faits sur la place publique et la scène politique afin de provoquer un débat de fond parmi la population et surtout au Parlement, et ce, avant de procéder à la saignée. Ce n'est pas la voie qu'il a choisie. Il n'a pas voulu déplaire au gouvernement. Il a préféré suivre le plan tout tracé du démantèlement.

Il faut bien constater que l'indignation du grand public se fait toujours attendre, comme l'a si bien remarqué Marc Cassivi dans *La Presse* le 22 avril 2014 :

> Les nouvelles coupes, loin de susciter l'indignation, ont été accueillies dans l'indifférence quasi générale. Le diffuseur public est saigné sous nos yeux et on le laisse mourir à petit feu, sans s'en formaliser. Comme si maintenir une programmation télévisée et radiophonique de qualité, et une information nationale et internationale digne de ce nom, n'avait pas la moindre importance[4].

Comment expliquer cette relative apathie ? Je n'ai pas lu d'études sur le sujet, mais j'avance une hypothèse personnelle : la surabondance actuelle des médias et des sources d'info ainsi que l'illusion de gratuité que donne l'ensemble du monde numérique rendent plus difficile l'identification

---

3. Radio-Canada, *Un espace pour nous tous*.

4. Marc Cassivi, « Le plus inquiétant », *La Presse*, 22 avril 2014, [www.lapresse.ca/debats/chroniques/marc-cassivi/201404/22/01-4759636-le-plus-inquietant.php].

des contenus qui proviennent du diffuseur public. Ces derniers se retrouvent d'ailleurs en infime minorité, dilués dans l'espace numérique, sans territorialité, sans nationalité. Comment, dans ces conditions, en saisir l'importance et la pertinence ?

En revanche, le dévoilement par Hubert Lacroix du plan stratégique pour les années 2015 à 2020 a provoqué une levée de boucliers chez les employés et parmi ceux et celles qui croient que Radio-Canada a encore toute sa pertinence en cette ère numérique.

En juin 2014, lors de la conférence téléphonique destinée à dévoiler le plan, une représentante syndicale de CBC a osé dire au président qu'il était un facilitateur pour ceux qui voulaient tuer CBC. Le président lui a répondu : « Que veux-tu que je fasse ? Je n'ai pas le choix. » La réponse de l'employée a été cinglante : « Vous pouvez protester et démissionner. »

Il n'y a rien d'étonnant à de telles réactions. Le plan stratégique *Un espace pour nous tous* a été rejeté par… tous. Pourquoi ? D'abord, parce qu'il a été bâclé. La haute direction de Radio-Canada y fait du surf sur quelques expressions à la mode.

Les vrais connaisseurs de la situation de Radio-Canada ont tous éprouvé un malaise à l'égard de ce document. Entre autres parce qu'il était clair que les prévisions financières avancées n'avaient pas été validées sérieusement. En réalité, il ne s'agit pas du tout d'un plan stratégique, mais plutôt d'un plan de réduction massive du personnel, déguisé en plan stratégique. Il propose de gérer une décroissance continue sur une période de cinq ans. Il crève les yeux que l'objectif réel est de réduire la taille de l'entreprise en se délestant de 2 500 employés ! Le volet numérique n'est qu'un leurre.

La direction reconnaît dans le document que la croissance des revenus publicitaires en télévision a atteint ses limites. Il faut donc trouver autre chose pour compenser la baisse constante des revenus gouvernementaux. On envisage d'abord de partir à la chasse aux revenus publicitaires dans Internet, tout en admettant que la tâche ne sera pas facile. Ensuite, on parle de vendre une grande partie des actifs immobiliers, de fusionner le plus grand nombre de services possibles, et de faire migrer vers Internet la diffusion des émissions radiophoniques de musique, ainsi que le signal de la télévision dans les plus petits marchés.

Ce qui frappe, c'est que, hormis la réduction du personnel, rien dans ce plan n'est chiffré. On se contente de dire que le passage au numérique permettra des économies considérables et qu'on espère trouver une façon de les réaliser. On croit habituellement que le numérique ne coûte presque rien, et c'est vrai qu'en télévision, ces technologies peuvent faire des miracles. Par contre, la forte concurrence qui règne dans ce domaine peut aussi exiger des investissements importants. Les sites vraiment rentables aujourd'hui, capables d'attirer et de retenir leur public, sont l'œuvre de géants qui se livrent des luttes féroces et ont des moyens quasi illimités. À moins d'un virage majeur, il y a peu de chances que Radio-Canada ait des ressources suffisantes pour se tailler une place de choix dans ce marché. Cela est tellement évident que même les auteurs du plan stratégique l'admettent discrètement :

> De plus, ces entreprises gigantesques, créées par Internet, ont accès à des fonds qui leur permettent de faire des investissements stratégiques à long terme. L'espace offert aux voix canadiennes est plus fragmenté ; la course permanente pour gagner l'attention des auditoires accroît toujours plus la pression qui s'exerce sur CBC/Radio-Canada pour demeurer pertinente aux yeux du public canadien[5].

---

5.   Radio-Canada, *Un espace pour nous tous,* p. 8.

Ce qui risque le plus d'arriver avec ce plan, c'est que la vitesse à laquelle on doit réaliser des économies et inventer de nouveaux revenus ne permettra pas d'opérer les changements requis de façon ordonnée. Ce qui pointe à l'horizon sera peut-être une agonie déchirante, sous l'œil indifférent du pouvoir politique.

Un autre élément de ce plan surprend un peu. D'entrée de jeu, on constate que la mission de Radio-Canada a été modifiée. Exit la mission du diffuseur public à l'égard de la vie démocratique et de la culture.

Voici la description de la mission dans le plan 2010-2015 :

> Dans le cadre de notre mission qui consiste à nous faire la voix de la culture canadienne et à enrichir la vie démocratique du pays, nous nous efforçons d'être une organisation responsable sur le plan social dans tout ce que nous faisons[6].

Et voici la nouvelle définition de la mission de Radio-Canada dans le plan 2015-2020 :

> CBC/Radio-Canada exprime la culture canadienne et enrichit la vie de tous les Canadiens en leur offrant un contenu diversifié qui informe, éclaire et divertit[7].

Tout un contraste !

---

6.   Radio-Canada, *Responsabilité sociale et valeur publique à CBC/Radio-Canada. Une action citoyenne sur tous les fronts,* [www.valeur-publique.cbc.radio-canada.ca].

7.   Radio-Canada, « Cadre stratégique », *Un espace pour nous tous,* [www.cbc.radio-canada.ca/fr/decouvrez/strategies/2020/cadre-strategique/].

Mais revenons à l'esprit qui a conduit à l'adoption de ce plan. En mai 2014 déjà, le président Lacroix annonçait la couleur au Comité permanent des langues officielles.

> En 2020, nous devrons être une organisation de média publique plus petite et plus ciblée, plus souple et capable de s'ajuster au changement dans les habitudes de consommation des médias par les Canadiens[8].

Cette déclaration avait fait bondir le député néo-démocrate Yvon Godin, qui avait critiqué le président pour son fatalisme.

« Ce n'est pas du fatalisme. C'est une réalisation[9] », avait répondu Hubert Lacroix. Il faut comprendre : une « réalisation » dont il est fier.

CBC/Radio-Canada, *one company*

L'idée de gérer CBC et Radio-Canada comme une seule entreprise sans distinction entre les deux réseaux est défendue farouchement à la fois par Rémi Racine et par Hubert Lacroix. N'oublions pas qu'Hubert Lacroix est un expert en fusion d'entreprises. N'avait-il pas déjà dit à ses deux vice-présidents, Sylvain Lafrance et Richard Stursberg, qu'il ne comprenait pas quel était leur rôle sous sa présidence[10] ?

---

8. La Presse canadienne, « Compressions à Radio-Canada : Hubert Lacroix dit que le diffuseur public en fera moins », *Huffington Post*, 1er mai 2014, [quebec.huffingtonpost.ca/2014/05/01/compressions-radio-canada-hubert-lacroix_n_5248614.html].

9. *Ibid.*

10. Voir l'anecdote au chapitre VIII.

Dans l'introduction du plan stratégique 2015-2020, *Un espace pour nous tous,* le PDG précise davantage sa pensée : « En travaillant comme une seule et même entreprise, d'ici 2020, nous serons une organisation plus petite, mais plus efficace et plus ciblée[11]. »

« En travaillant comme une seule et même entreprise »... Tel est donc l'autre objectif d'Hubert Lacroix : regrouper la majorité des services des deux réseaux sous une seule direction. Fin de l'autonomie de Radio-Canada au sein de la société d'État, telle que défendue par Raymond David. On pourrait même dire : négation historique de l'existence de deux entités linguistiques au Canada. La direction des Services français perd ainsi la latitude financière de développer sa propre stratégie, adaptée à son auditoire francophone.

Cette idée a entre autres comme conséquence de traiter Radio-Canada et CBC sur un pied d'égalité, malgré toutes leurs spécificités.

Voici la petite histoire de l'adoption du fameux plan stratégique *Un espace pour nous tous.* Le 16 juin 2014, le PDG rencontre la ministre du Patrimoine, Shelley Glover, pour lui faire part de son plan et tenter d'obtenir une aide pour financer les nombreux départs à la retraite qu'il comporte. Elle doit lui fournir une réponse dans les jours suivants.

Puis, il dépose son plan au conseil d'administration des 16 et 17 juin. Celui-ci l'approuve sous réserve d'une aide de la ministre pour ce qui est de la dimension financière. Le 20 juin, la ministre répond qu'elle n'aidera pas financièrement le passage à l'ère numérique.

Le 24 juin, à la toute dernière minute, les seize pages du plan stratégique sont envoyées en catastrophe à la traduction française, sans aucune adaptation à la réalité de Radio-Canada. « *One company* »... Il fallait s'y attendre, la précipi-

---

11. Radio-Canada, *Un espace pour nous tous,* p. 1.

tation donne une traduction française boiteuse. La phrase « Notre vision est le but ambitieux[12] » en est une bonne illustration. Une journée et demie plus tard, le 26 juin, le document est présenté au personnel.

Le postulat de départ du plan 2015-2020 repose sur un portrait de la performance de CBC et non de celle de Radio-Canada. Les résultats d'écoute de la télévision de CBC tournent autour de 8 % des parts de l'auditoire anglophone aux heures de grande écoute. La télévision française de Radio-Canada est très loin devant et rejoint plus de 15 % des parts de l'auditoire francophone aux mêmes heures, atteignant même plus de 20 % à l'automne 2013.

On peut s'attendre à ce que l'auditoire de la télévision de CBC diminue davantage, parce que celle-ci a perdu le lucratif contrat de *Hockey Night in Canada*. À ce propos, il faut noter que le nouveau contrat est pour le moins inusité. Il prévoit que la majorité des matchs seront désormais diffusés par la télévision privée Sportsnet, propriété de Rogers Communications, qui va récupérer tous les revenus commerciaux afférents. Pendant quatre ans encore, CBC va cependant continuer de présenter les matchs du samedi soir. Cette programmation ne lui coûtera rien, mais ne lui rapportera rien non plus.

Quoi qu'il en soit, le plan stratégique d'Hubert Lacroix aurait dû prendre en considération les situations différentes des deux réseaux pour ne pas jeter le bébé avec l'eau du bain.

Rappelons-nous qu'avant d'entrer à Radio-Canada Hubert Lacroix a enseigné le droit des valeurs mobilières, des fusions et des acquisitions d'entreprises à la Faculté de droit de l'Université de Montréal. Les entreprises fusionnées, intégrées, c'est son champ de compétence.

« C'est une seule entreprise », répondait-il à l'animatrice Anne-Marie Dussault à l'émission *24/60*, le 10 avril 2014. Et

---

12. *Ibid.*, p. 10.

il s'empressait d'ajouter que le partage budgétaire historiquement protégé – 60 % destiné à CBC et 40 % à Radio-Canada – n'était qu'un « mythe ». Ce qui m'amenait à écrire dans un texte paru dans *Le Devoir* le 14 avril 2014 : « On aurait donc mis fin au caractère distinct des Services français sans nous l'avoir annoncé[13] ? » En fait, c'est la première fois que les revenus commerciaux sont à égalité entre les deux réseaux, malgré le fait que le marché francophone soit quatre fois plus petit. Mais ironiquement, cette performance du réseau français va servir à éponger le déficit du réseau anglais.

Même les médias anglophones s'en rendent compte. En juillet 2014, un article du chroniqueur Konrad Yakabuski dans *The Globe and Mail*, intitulé « Don't Make Radio-Canada Subsidize the CBC » (« Ne laissons pas Radio-Canada subventionner CBC »), mettait ainsi les pendules à l'heure :

> Avec les coupes qui s'accumulent, les fidèles de Radio-Canada, l'un des diffuseurs publics les plus populaires du monde, découvrent avec dépit qu'ils doivent payer pour l'incapacité de CBC d'intéresser le public canadien. […] Avec la perte de *Hockey Night in Canada*, la seule émission de CBC qui attirait régulièrement de larges auditoires, les revenus commerciaux du réseau anglais risquent de plonger au-dessous de ceux du réseau français, lequel attire des millions d'auditeurs de plus, malgré son marché beaucoup plus petit[14].

---

13. Alain Saulnier, « Compressions à Radio-Canada. Refuser la lente mise à mort d'une grande institution », *Le Devoir*, 14 avril 2014, [media1.ledevoir.com/societe/medias/405464/compressions-].

14. Konrad Yakabuski, « Don't Make Radio-Canada Subsidize the CBC », *The Globe and Mail*, 14 juillet 2014, [www.theglobeandmail.com/globe-debate/dont-make-radio-canada-subsidize-the-cbc/article19571573/]. Je traduis.

Cette vision d'« une seule entreprise » a aussi un impact important sur la gestion. Dès son entrée en fonction, le nouveau président ne valorisait que les initiatives intégrées entre les deux entités.

Nous nous sommes tous mis à multiplier les réunions conjointes, à créer des comités et des sous-comités conjoints… Bref, les occasions d'échanger avec nos vis-à-vis anglophones ont commencé à augmenter.

Cela a aussi eu des conséquences sur la langue utilisée dans les réunions. L'absence de cadres bilingues du côté de CBC favorise toujours le recours à l'anglais. Qu'un cadre francophone décide d'intervenir en français commande systématiquement une traduction destinée aux unilingues anglophones. Cela semble agacer le nouveau président, parce que cela ralentit les réunions et les rend sans doute inefficaces à ses yeux. Le résultat est que les rencontres communes avec CBC se déroulent de plus en plus en anglais et que les francophones n'ont pas le choix. Pas étonnant que le plan stratégique ait été conçu en anglais, c'est ce que signifie souvent *one company* / une seule entreprise.

À l'été 2014, une firme extérieure a été embauchée pour proposer une réforme majeure des structures de CBC/Radio-Canada. On a déjà fusionné les Services anglais et français du secteur des ventes sous une seule direction au printemps 2014, ce qui a eu pour conséquence que certains employés francophones doivent maintenant se rapporter à des chefs de service unilingues anglophones. Il semble bien que les prochains services à devoir fusionner seront ceux des finances. Cela risque de signifier la fin des budgets protégés pour le réseau français. Il est question de fusionner aussi des services de programmes. Si cela devait se réaliser, on peut craindre des dommages pour tous les aspects créatifs et culturels des émissions.

Mettre le cap sur le contenu

Du télégraphe à l'ère numérique, en passant par la radio et la télévision, le monde des communications n'existe que pour transmettre des contenus. À cet égard, le service public s'est généralement distingué des autres producteurs à toutes les étapes de l'évolution des technologies.

Aujourd'hui, nous ne devons pas être obnubilés par la tuyauterie et les plateformes de l'ère numérique. Nous devons bien les maîtriser, certes. Mais ce qui distinguera le service public restera toujours ses contenus. En ce sens, le plan stratégique de Radio-Canada devrait d'abord mettre le cap sur la création de contenus distincts qu'on adaptera ensuite au nouvel environnement. Adapter et assouplir la structure de production, bien sûr, mais avant tout pour soutenir et faire rayonner l'expertise unique de Radio-Canada. Le plan stratégique est remarquablement silencieux sur la façon de maintenir, avec un financement réduit, la production de contenus de qualité non soumis aux impératifs commerciaux. Je note aussi qu'en cette ère de mondialisation et de complexité croissante du monde, le plan ne fait aucune allusion à l'importance de l'information internationale. On n'y parle que de permettre aux Canadiens de parler aux Canadiens. On nous propose de nous replier sur nous-mêmes. Belle perspective !

Le nouvel ordre numérique mondial

Le nouvel environnement technologique, financier et politique vient tellement bouleverser l'ordre des choses que le plan stratégique 2015-2020 doit être soumis à un examen beaucoup plus approfondi. Il est temps de revoir la définition même du mandat de Radio-Canada et la description qu'en fait la loi adoptée en 1991.

Mais il ne saurait être question de modifier la nature de la plus grande institution culturelle et démocratique du pays sans que les parlementaires et le public se prononcent. Les bouleversements actuels des médias à l'ère numérique appellent un tel débat politique. Refuser de s'y soumettre serait soustraire l'institution à la validation démocratique.

Entendons-nous. L'idée n'est pas d'avoir une attitude ringarde ni de verser dans la nostalgie de nos souvenirs personnels. L'objectif n'est pas de revenir en arrière.

À la vitesse où évolue le monde des communications, je conviens que tous les médias doivent remettre constamment leurs plans stratégiques sur la table à dessin. Rares sont ceux qui peuvent prédire aujourd'hui ce qui restera de la radio et de la télévision traditionnelle dans quelques années. Cette dernière est déjà délaissée par les jeunes. Les habitudes de consommation de la télévision changent à grande vitesse.

Aux États-Unis, une étude[15] a néanmoins démontré que le public écoute plus de contenus de télévision qu'auparavant, mais à l'heure qui lui convient ! Le scénario le plus probable indique que l'avenir est à l'écoute des contenus télévisés sur toutes les plateformes actuelles et sur celles qui n'ont pas encore été inventées.

Même les écrans de cinéma commencent à être boudés par les grandes vedettes d'Hollywood, qui se tournent vers la production de contenus numériques destinés à la télévision, comme Kevin Spacey, grande vedette de la série *House of Cards*, créée pour le distributeur en ligne Netflix. Les jeunes ont vite saisi ce changement. Ils aiment ces contenus au point de se les échanger sur les réseaux sociaux, d'être les premiers

---

15. Voir Jason Lynch, « Charts: How We Watch TV Now », *Quartz*, 21 juillet 2014, [qz.com/237600/charts-how-we-watch-tv-now/]. Cet article relate une conférence de presse de David Poltrack, chef de la recherche au réseau CBS.

à les dépister sur les sites les plus ingénieux. Ces jeunes savent que les nouvelles habitudes d'écoute de contenus s'établissent dans les circonstances et au moment choisis par les utilisateurs. Ils ont apprivoisé l'avenir. Or voilà qu'on les écarte de l'avenir du diffuseur public, puisqu'ils seront les premiers à être mis à pied. Une telle stratégie est dramatique et elle puise dans la médiocrité. Il appartient à Radio-Canada de répondre à ces nouvelles attentes avec des contenus propres au diffuseur public – lesquels ne sont pas définis dans le plan stratégique –, mais essayer de faire tout cela sans les jeunes est un non-sens.

En attendant, il est aussi impérieux de concevoir un véritable plan de transition attentif aux besoins des plus âgés, qui ne sont pas prêts à passer au numérique.

Enfin, il faudra toujours se méfier des devins du futur. On avait annoncé la mort de la radio. Elle vit encore sur toutes les plateformes. On annonce la fin de la télévision ? Elle vit, elle aussi, sur toutes les plateformes, à toute heure du jour. Il est certainement trop tôt pour annoncer sa mort.

La pertinence de Radio-Canada à l'ère numérique

Lors de la création de Radio-Canada, on l'a vu au premier chapitre, il fallait contrer la puissance américaine et investir le territoire sur les plans culturel et démocratique afin de bien servir les citoyens francophones et anglophones du pays. À l'arrivée de la télévision, le but était toujours le même. Depuis les premiers jours d'Internet, l'objectif est plus crucial que jamais.

Aujourd'hui, nous avons besoin de repères solides, de remparts libres et indépendants contre, entre autres, ceux que l'auteur et expert Éric Scherer appelle les nouveaux prédateurs.

Nouveaux prédateurs, une poignée de géants du web, forts de leur puissance inégalée et de leur position dominante, semblent invincibles. Ils sont en train de fragmenter, voire de verrouiller le web, qui devait être espace de liberté[16].

Le rôle du service public est précisément de contrer ceux qui souhaitent contrôler l'espace démocratique, ceux qui souhaitent « verrouiller le web » afin de tenter d'uniformiser les idées et la culture de la population.

Ce n'est pas de la paranoïa que de craindre les puissantes multinationales qui contrôlent l'espace numérique et dictent les règles du jeu.

Ainsi, nous savons qu'aujourd'hui la société Google compte environ 50 000 employés. Et quelle est la mission de Google ? Voici ce qu'on peut lire dans le site de la compagnie : « La mission de Google : organiser les informations à l'échelle mondiale pour les rendre accessibles et utiles à tous[17]. »

Nous voilà peu rassurés.

Ce n'est pas du délire paranoïaque que de craindre que des spécialistes, des manipulateurs n'établissent le profil culturel, et pourquoi pas politique, de chacun de nous en analysant nos profils personnels sur les réseaux sociaux.

En juin 2014 déjà, nous apprenions que Facebook avait conduit une expérience secrète sur 700 000 utilisateurs, donc sans leur consentement. À la lumière des informations contenues dans les profils des utilisateurs de Facebook, les auteurs

---

16. Éric Scherer, directeur de la prospective, de la stratégie numérique et des relations internationales liées aux nouveaux médias (France Télévisions), « Recherche confiance, désespérément ! », *Méta-Média*, 8 mai 2014, [meta-media.fr/2014/05/08/recherche-confiance-desesperement.html].

17. Google, « À propos de Google », [www.google.com/intl/fr/about/].

de l'étude ont établi que les émotions étaient contagieuses. De là à recourir à la manipulation des émotions à des fins mercantiles ou (qui sait ?) politiques, il n'y a qu'un pas.

Voici quelques commentaires sur l'expérience de Facebook publiés le 30 juin 2014 dans *Le Figaro,* qui citait un article d'une revue scientifique américaine :

> Lire des statuts positifs nous fait nous sentir bien. Voir nos amis déprimer nous rend d'humeur maussade. Et avoir un flux d'actualité neutre nous conduit à moins poster sur Facebook. Des conclusions sans réelle surprise, mais obtenues de manière problématique. De nombreux commentateurs américains s'indignent que cette étude, qui s'apparente selon eux à de la manipulation mentale, ait été menée sans le consentement des internautes[18].

Bien sûr, nous avons la chance de vivre dans un pays démocratique. Nous ne sommes pas soumis à un régime totalitaire qui cherche à débusquer les sources et les foyers de dissidence. Néanmoins, j'éprouve un immense malaise de savoir qu'un gouvernement, des entreprises ou des organisations épient à mon insu mes moindres gestes sur les réseaux sociaux, souvent avec la complicité de leurs propriétaires. Les sociétés démocratiques se sont toujours méfiées de l'écoute

---

18. Le Figaro.fr, AFP, AP et Reuters, « Facebook a conduit une expérience secrète sur 700 000 utilisateurs », *Le Figaro.fr,* 30 juin 2014, [www.lefigaro.fr/secteur/high-tech/2014/06/30/01007-20140630ART FIG00096-facebook-a-conduit-une-experience-secrete-sur-700000-utilisateurs.php]. Pour l'article original, voir Adam D. I. Kramer, Jamie E. Guillory et Jeffrey T. Hancock, « Experimental Evidence of Massive-Scale Emotional Contagion Through Social Networks », *Proceedings of the National Academy of Sciences of the United States of America (PNAS),* [www.pnas.org/content/111/24/8788.abstract?sid=f44a 1d23-42e5-42bc-9f65-ac8d62d055d2].

électronique illégale, il doit en être de même à l'égard de l'espionnage numérique.

Le défi actuel est toujours culturel et démocratique. Déjà, de nombreuses voix s'élèvent afin de dénoncer le côté tentaculaire et omnipuissant des nouveaux propriétaires du numérique.

Voici un autre commentaire d'Éric Scherer à propos des révélations d'Edward Snowden sur l'espionnage à grande échelle qui a cours dans le monde numérique :

> Rude prise de conscience ! Trahie, la confiance est-elle perdue ? Dans la nouvelle ère de l'information, le public commence à être gagné par le doute et l'anxiété sur la place laissée dans nos vies quotidiennes à des technologies à double tranchant : formidables outils de la connaissance, de la communication et de la simplification, elles sont aussi devenues de dangereux délateurs au service de gouvernements et de multinationales, qui connaissent désormais nos habitudes, comportements et activités[19].

Voilà des exemples qui doivent nous inciter à militer en faveur de services publics d'information forts, libres et indépendants. Il faudra bien qu'il subsiste quelques joueurs capables de surveiller et de critiquer les dérives des nouveaux géants.

En 2006 déjà, lors du congrès de l'Union européenne des radiodiffuseurs (UER), son directeur juridique, Werner Rumphorst, concluait ainsi son texte intitulé « Comment garantir l'indépendance de la télévision de service public ? » :

> En conclusion, il faut se battre pour avoir un service public de radiodiffusion indépendant, mais une fois cette indé-

---

19. Éric Scherer, « Recherche confiance, désespérément ! ».

pendance acquise, il restera à la défendre avec fermeté contre ceux qui l'attaquent ouvertement ou par des moyens détournés[20].

Pendant que je dirigeais le Service de l'information, les accusations et les pressions de toutes provenances ont été nombreuses et j'ai eu plusieurs fois à réaffirmer l'indépendance éditoriale du service dont j'avais la responsabilité. J'ai compris que la vigilance devait être constante. C'est entre autres la raison pour laquelle j'ai tant insisté lors de la refonte des *Normes et pratiques journalistiques* de Radio-Canada pour inscrire l'importance de préserver notre indépendance dans l'introduction du document. Voici le résultat :

> *Préserver notre indépendance*
> Nous sommes indépendants des lobbies et des pouvoirs politiques et économiques. Nous défendons la liberté d'expression et la liberté de la presse, garantes d'une société libre et démocratique.
> L'intérêt public guide toutes nos décisions[21].

L'actuelle haute direction de Radio-Canada et de CBC a malheureusement failli à la tâche. À nous de rétablir avec fermeté l'indépendance du service public.

Un service public multimédia est-il toujours pertinent ?

La réponse est oui ! Les entreprises publiques telles que Radio-Canada constituent le meilleur service à offrir aux

---

20. Dr Werner Rumphorst, « Comment garantir l'indépendance de la télévision de service public ? », Budapest, 3 novembre 2006.

21. Radio-Canada, *Normes et pratiques journalistiques*.

citoyens canadiens. La relation de confiance établie au fil des ans doit désormais se poursuivre dans l'espace numérique pour tous et toutes.

Toutefois, le passage au numérique doit être l'occasion de préciser à quoi peut bien servir un diffuseur public multimédia en cette nouvelle ère.

Que faire de Radio-Canada quand on peine à la découvrir parmi une offre aussi vaste de milliards de sites Internet ?

À cet égard, nous faisons face à trois types de problèmes. D'abord, nous ne sommes pas face à une pénurie d'information. Le problème actuel de l'information, c'est sa surabondance !

Le deuxième problème de l'information, c'est qu'elle cohabite sur la même Toile que la désinformation, laquelle occupe de plus en plus de place en cette ère numérique.

Le troisième, c'est que nous sommes tous victimes de tentatives de manipulation, ce qui provoque une sérieuse crise de confiance envers le numérique chez les gens les plus conscients.

Il faut bien admettre que l'esprit critique n'est pas assez répandu.

Comme je le répète à mes étudiants en journalisme : information versus désinformation, voilà le combat extrême du XXIe siècle.

Dans ce combat, notre premier réflexe est de souhaiter que le diffuseur public puisse jouer un rôle majeur en matière d'information, tant locale et régionale que nationale et internationale. Évidemment, je parle ici de vrai journalisme, doté de ressources suffisantes pour présenter des dossiers fouillés et des enquêtes.

Je l'ai mentionné, la création de l'émission *Enquête* et d'une équipe choc de journalistes d'enquête à Radio-Canada figure parmi mes bonnes décisions à la direction générale de l'information. C'est d'ailleurs souvent cet exemple qui est cité à la défense de Radio-Canada et lors des appels pour son soutien.

Dans un monde où le modèle d'affaires des médias repose plus que jamais sur les revenus publicitaires destinés à enrichir des méga-entreprises occupant un espace économique de plus en plus vaste, nous avons besoin d'une information libre et indépendante. En fait, Radio-Canada ne doit plus se définir comme une addition de plateformes (radio, télévision, Internet et mobilité). L'objectif, c'est de préserver le savoir-faire accumulé pour produire des contenus de qualité et les distribuer dans l'univers numérique. En information, on doit développer une marque identifiée comme *la* source publique d'information au Canada et destinée à tous dans l'espace numérique. Les formats seront variés et adaptés aux nouveaux appareils de réception. Surtout, les contenus seront toujours distincts parce que produits conformément aux valeurs fondamentales de Radio-Canada.

Ce qui est vrai pour un secteur comme le Service de l'information de Radio-Canada et celui de CBC l'est aussi pour les secteurs des dramatiques, des variétés et des sports.

Des émissions humoristiques comme les fameux *Bye Bye* doivent jouir de l'entière liberté de parodier l'actualité et ses acteurs. Bien sûr, les productions de Radio-Canada soulèveront toujours la critique, mais l'exercice en vaut le coût et le coup !

Dans les séries dramatiques, l'audace d'un diffuseur public se reconnaît dans les scénarios qui présentent des personnages et des intrigues anticonformistes et avant-gardistes. Il faut pouvoir prendre des risques et traiter de tous les sujets, même de ceux qui écorchent les sensibilités idéologiques des groupes et des partis politiques.

De nos jours, les tentatives visant à l'uniformisation des cultures et des idées ne sont plus à démontrer. Elles existent bel et bien. Les *majors* du cinéma américain sont passés maîtres dans l'art d'imposer leur univers culturel.

C'est la responsabilité du diffuseur public de combattre cette uniformisation et d'offrir la diversité comme option de rechange.

Sur le plan de la culture, il faut contrer les fabriques culturelles des multinationales et offrir un espace aux créateurs dans tous les domaines. Des contenus culturels hors des sentiers battus, ceux de la relève, voilà une niche pour le service public.

Même dans le domaine de l'information sportive, il faut pouvoir développer une approche indépendante afin d'offrir un journalisme sportif indépendant. Par exemple, être en mesure de critiquer librement les propriétaires des grandes concessions sportives. En effet, les médias qui appartiennent aux mêmes propriétaires ou partenaires que ces concessions lient les mains de leurs journalistes. Là encore, le journalisme libre et indépendant est du côté du service public.

Enfin, la richesse d'une société démocratique comme la nôtre est justement de pouvoir soutenir la pensée critique. Les diffuseurs privés ont souvent tendance à offrir un discours sans nuance sur les enjeux de la société. D'une certaine façon, on peut les comprendre, ça se vend mieux. Il y a donc peu de place sur leurs réseaux pour les intellectuels, qu'on qualifie de « pelleteux de nuages ». Pourtant, dans une société complexe, il importe d'offrir un éclairage étoffé, diversifié et nuancé des choses.

Constituer un rempart contre la pensée unique, quel beau défi pour le diffuseur public !

L'histoire de Radio-Canada est marquée par cette ouverture sur le monde, celui des cultures et des idées. Quelle richesse pour tous les Canadiens, en particulier pour les francophones, puisqu'ils sont minoritaires en Amérique du Nord.

Contrer le démantèlement

Depuis quelques années, nous avons l'impression que Radio-Canada est un peu comme un train fou qui se dirige à toute allure vers un mur.

Démunis, fatalistes, les citoyens s'en désintéressent comme si la collision était inévitable.

Or la catastrophe peut être évitée.

L'avenir de Radio-Canada et de CBC ne peut plus reposer entre les seules mains de sa haute direction et celles du gouvernement.

Le débat doit être transporté au Parlement. Un projet pour une nouvelle loi sur la radiodiffusion à l'ère numérique doit être développé. Il appartient à la société civile, aux individus préoccupés du bien public, aux experts en médias, aux démocrates et à tous les partis politiques de s'exprimer sur ce projet.

Une nouvelle loi doit faire de Radio-Canada un service public (et non d'État) à l'ère numérique.

Cette loi doit reconnaître le caractère distinct des contenus et des programmations à l'intention des francophones et des anglophones. En ce sens, elle doit préciser que les deux réseaux sont distincts afin de bien servir les communautés linguistiques, au Québec et en dehors.

En fait, il faudrait créer deux entreprises légalement constituées, une pour les francophones et une autre pour les anglophones.

Une nouvelle loi doit également comporter des garanties plus claires d'étanchéité afin d'assurer une saine distance à l'égard du pouvoir politique. Aussi le mode de nomination des présidents des deux réseaux doit-il être revu et corrigé afin de soumettre les candidats choisis à l'examen d'un comité du Parlement.

Il en est de même pour les nominations au conseil d'administration des deux sociétés. Une formule d'appel de candidatures et des critères transparents de sélection doivent être définis et appliqués.

Le « projet de loi sur Radio-Canada et CBC à l'ère numérique » doit faire l'objet d'un large débat public, aussi bien avec le concours du CRTC qu'à l'extérieur de cette instance réglementaire. Le service public est un « espace pour nous tous », pour paraphraser le dernier plan stratégique de la Société paru en juin 2014.

Enfin, il faut comprendre qu'il y a urgence. Un peu comme pour les valeurs familiales et citoyennes, les normes éthiques et les façons de faire en journalisme et en programmation se transmettent de génération en génération. Il ne faut pas laisser se disperser toute une génération de jeunes qui ont été préparés à prendre la relève. Il ne faut pas non plus laisser filer le capital de sympathie accumulé au fil des ans autour de la « marque » Radio-Canada. Les experts en marketing vous le diront, construire ou reconstruire l'attachement à une marque peut prendre un temps fou, surtout quand une forte concurrence est déjà installée. Selon l'expression consacrée, il s'agit d'un précieux patrimoine immatériel à ne pas dilapider.

Un financement provenant de trois sources

En ce qui concerne le financement de Radio-Canada et de CBC, je prône une formule qui s'appuie sur trois sources.

Je plaide tout d'abord pour un financement gouvernemental stable établi sur cinq ans, auquel s'ajouterait une formule de redevances à définir pour les utilisateurs d'appareils électroniques et numériques en s'inspirant des modèles européens. En troisième lieu, il faut garder la porte ouverte au financement provenant des revenus commerciaux, mais avec un plafond qui se situerait entre 15 et 20 % du budget total.

La formule de redevances est bien connue dans la plupart des pays d'Europe, où on doit l'acquitter dès qu'on utilise un équipement pour regarder ou enregistrer des programmes télévisuels. Pour les autres types d'appareils, les modalités varient selon les pays. Une telle formule présenterait l'avantage de mettre le diffuseur public à l'abri des caprices des gouvernements par rapport à leurs budgets annuels.

Il est peut-être temps d'explorer également quelles contributions les gouvernements doivent exiger de toutes les multinationales du web qui s'approprient le marché audiovisuel grâce, entre autres, à la mobilité des téléphones intelligents et des nouvelles tablettes. Avec le CRTC, il faut aussi examiner quelle part Radio-Canada serait en droit d'exiger des mêmes multinationales, dont les nouveaux appareils puisent abondamment dans les contenus télévisuels des services publics, ici comme ailleurs. On parle d'Apple, de Google, de Microsoft et des autres. (À cet égard, il faut que les gouvernements reprennent la bataille pour la diversité culturelle face à ces géants, pas seulement au Canada, mais aussi à l'échelle internationale.)

Enfin, il faut préserver une part d'allocations gouvernementales pour maintenir un financement distinct pour CBC et Radio-Canada, c'est-à-dire garantir une enveloppe protégée pour chacun des deux réseaux.

Évidemment, la hauteur de ces revenus devra assurer la viabilité des nouvelles sociétés publiques et leur permettre de s'affranchir de la dictature des « cotes d'écoute » et de la quête sans limite de revenus commerciaux. On l'a vu, cela influence les contenus. En fait, le diffuseur public doit pouvoir offrir une programmation et des contenus nettement distincts.

Au travail !

Conclusion

Que sont mes amis devenus
Que j'avais de si près tenus
Et tant aimés ?

RUTEBEUF

Toutes les fois que des mauvaises nouvelles surgissent, et elles ne cessent malheureusement de s'accumuler, j'ai tout de suite une pensée pour mes amis toujours à l'emploi de Radio-Canada. Comment, dans les circonstances, se portent toutes ces personnes qui font partie de mes grandes amitiés professionnelles ? « Que sont mes amis devenus [ceux et celles] que j'avais de si près tenus et tant aimés ? » comme le disent les premiers vers du poème de Rutebeuf. J'éprouverai toujours cette sensation douloureuse à voir se détériorer une institution aussi essentielle.

De nos jours, la démotivation et la morosité ont atteint un point tel que plusieurs employés parmi les plus précieux de Radio-Canada songent à partir. En septembre 2014, la télévision a dû se résigner à la démission de sa directrice générale, Louise Lantagne, qui était à l'origine de très grands succès dans le secteur des dramatiques, notamment *Unité 9* et *Série noire*. Il y aura d'autres départs, parce que très peu de gens à l'interne croient que le nouveau plan stratégique soit porteur d'avenir.

Ne sommes-nous que quelques-uns à ressentir une si vive inquiétude pour l'avenir de Radio-Canada ? N'y a-t-il pas lieu de stopper l'asphyxie du diffuseur public ?

Avec mes amis et collègues de Radio-Canada, j'ai partagé une grande passion. Celle d'œuvrer pour le droit du public à une information et à des émissions culturelles de qualité.

Nous avions l'habitude de dire que Radio-Canada ne pourrait pas mourir, qu'elle survivrait à tous les changements de gouvernement et de direction. Nous avions tort. Nous pensions que la culture de ses seuls artisans était plus forte que tout et garantirait la pérennité de l'institution. C'était une erreur. Radio-Canada peut mourir. Ils sont de plus en plus nombreux à assister à son démantèlement, parfois dans la complicité, parfois dans l'indifférence. D'autres sont totalement démunis et ne savent trop que faire pour renverser la vapeur.

Certes, le service public n'est pas sans faille. Sa programmation n'a pas toujours été exemplaire. Par contre, elle a contribué à l'enrichissement de notre démocratie et de notre culture. Ce n'est pas le passé de Radio-Canada qu'il faut conserver, c'est l'avenir qu'il faut protéger et bâtir dans une société et un monde devenus de plus en plus complexes et difficiles à décoder.

Je ne peux me résoudre à vivre dans une société où l'information et la culture ne sont que des produits de consommation. Le mercantilisme ne doit pas dicter les rapports entre les individus. Pour éviter cela, il est nécessaire de préserver des institutions démocratiques qui ne sont pas seulement en quête de profit, mais aussi de sens.

L'ère numérique porte en elle l'espoir d'une démocratisation du savoir et de la connaissance. La vie démocratique du nouveau siècle est porteuse d'immenses défis. Partout, dans les pays où ils ont été créés, les services publics de radio et de télévision de même que leurs extensions numériques ont contribué de façon importante à la vie démocratique, politique et sociale ainsi qu'à la culture. Tout cela doit se poursuivre.

Le diffuseur public peut accompagner les citoyens dans cette nouvelle société qui se dessine.

Dans ce livre, j'ai fait un survol de la relation particulière de Radio-Canada avec le pouvoir politique au cours des ans, des changements de gouvernement et de direction.

Je crois avoir démontré que le bon équilibre dans les relations entre les deux partis est très difficile à trouver.

Il est vrai que Radio-Canada relève du gouvernement. Il est peut-être naturel que le pouvoir politique ait tendance à se comporter comme le propriétaire des lieux, mais cette tendance doit être combattue. Il ne doit pas chercher à transformer le diffuseur public en service d'État. Ce propriétaire doit comprendre qu'il n'est qu'un représentant du public et que la démocratie est à ce prix.

De son côté, Radio-Canada doit savoir composer avec ce pouvoir politique en établissant clairement les frontières de son territoire. Empêcher le gouvernement de s'ingérer dans la programmation et les orientations de la Société Radio-Canada n'est pas un caprice. C'est vital.

En terminant, je tiens à souligner que le titre provocateur *Ici était Radio-Canada* n'a surtout pas pour but de verser dans une nostalgie larmoyante. Je me tiens disponible pour écrire un jour la suite de cette histoire, celle d'une Société Radio-Canada qui se sera adaptée au monde moderne et jouira d'une situation financière viable.

Remerciements

Je tiens à remercier tous ceux et celles qui ont partagé avec moi leurs souvenirs, réflexions et confidences. Quelques-unes de ces personnes sont nommées dans le texte, mais plusieurs autres ont préféré rester anonymes. C'est grâce à leur collaboration que j'ai pu écrire ce livre. Je dois souligner celle de l'ancien ministre des Communications Marcel Masse, un ami de Radio-Canada avec qui j'ai pu échanger longuement quelques semaines avant son décès en août 2014.

Je dois des remerciements spéciaux à Pierre Pagé pour la partie historique de ce livre qui concerne les années antérieures à l'arrivée de la télévision ; à Renaud Gilbert pour les nombreux documents qu'il a précieusement conservés et qu'il m'a permis de consulter ; et à la famille de Raymond David qui a partagé avec moi ses archives.

Un merci particulier également à ma précieuse collègue et chère amie, Geneviève Guay, sans laquelle ce livre n'aurait pas vu le jour. Ses judicieux conseils ont pu parfois me bousculer un peu, mais ils se sont avérés fort pertinents.

Enfin, merci à ma conjointe, Dominique, pour son soutien indéfectible et sa lecture critique des textes.

Annexes

Message d'Alain Saulnier aux employés de l'information

Le 23 février 2012

Louis Lalande a décidé de procéder à la transformation de l'Information avec une autre personne que moi. C'est son droit le plus légitime. Je quitterai donc Radio-Canada le 16 mars prochain.

Je regrette de vous laisser dans une telle tourmente, mais sachez que ce n'est pas mon choix.

Depuis 1984, j'ai consacré ma vie à soutenir l'institution qu'est Radio-Canada. C'est un joyau unique et inestimable. Je suis très fier de la carrière que j'y ai poursuivie et de ce que j'y ai accompli.

Lorsque je regarde le chemin parcouru, je considère avoir donné un immense élan au journalisme d'enquête, motivé par un idéal bien ancré en moi en faveur d'une société démocratique. Comme journaliste, j'ai toujours été convaincu que les institutions, les gouvernements et les organisations doivent fonctionner selon des règles transparentes et équitables pour tous. Je crois profondément à l'égalité des chances.

Depuis que je dirige l'Information, je considère aussi avoir donné une place importante à l'information internationale, ce qui rejoint ma conviction que nous devons, nous, les francophones de ce pays, participer activement et fièrement à l'ouverture sur le monde et ses enjeux.

J'ai toujours milité pour une information de grande qualité. Tous les sujets doivent être traités, mais à notre manière, comme un service public se doit de le faire. À quoi servirait un service public d'information s'il faisait les choses comme les autres ? Aussi, je suis fier d'avoir poussé la transformation de notre organisation en créant des modules d'expertise misant sur nos grandes spécialités, démontrant ainsi notre unicité dans le monde des médias francophones.

J'ai toujours tenté d'exercer une direction indépendante et libre, rejoignant ainsi le fait que je suis un homme libre qui a des valeurs à défendre.

À la FPJQ, par le *Guide de déontologie*, et ici, dans ma pratique quotidienne et avec l'adoption de nouvelles *Normes et pratiques journalistiques*, j'ai consacré ma vie professionnelle à faire de l'éthique un engagement profond. Cela rejoint ma conviction que la droiture, l'intégrité et la responsabilité sont des valeurs essentielles pour nous.

J'ai toujours eu un style de direction basé sur le respect des gens. J'ai toujours dénoncé le style autoritaire, irrespectueux. J'ai une trop grande admiration pour le travail que nous faisons pour ne pas respecter toutes les personnes qui œuvrent ici, et ont œuvré avec moi.

Finalement, j'ai pu compter sur une équipe formidable, même si elle n'était pas toujours facile ! Mais j'ai toujours pensé qu'il valait mieux s'entourer de gens forts pour faire avancer les choses.

Radio-Canada est chanceuse de pouvoir compter sur des gens aussi engagés.

Merci,

Alain

Annexe II

Extrait du discours du ministre des Ressources naturelles, Gary Lunn

January 27th, 2007

Oil sands, without question, many of you know, are the second largest oil find in the world. Canada is the second known largest oil reserve in the world. And, as we see potential increase in the production moving from a million barrels a day up to four or five, we need to do better. I think there is great promise in the oil sands for nuclear energy. Nuclear energy is emission free, there is no greenhouse gases and no pollutant is going up in this energy. Great opportunity.

We've burned a lot of natural gas to extract that oil from the sands. There is great opportunity to pursue nuclear energy, something I'm very keen on. As far as the investments and the taxes system, those are things that the minister of Finance will have to look at. But I think we want to encourage companies to invest into technology that's going to have dramatic reduction in green house gases and have a strong benefit for the environment.

Annexe III

Lettre de Robert Rabinovitch à Hubert Lacroix

November 13, 2007[1]
Mr. Hubert T. Lacroix
President & CEO designate
Montreal, Quebec

Dear Hubert,
I am pleased to present you with the Briefing Book prepared for the new President & CEO. I hope the information will be useful. More thorough information will be provided to you at the individual briefings with each Vice-President. They are all geared up and ready to go as soon as you are. Obviously I am available at your convenience to discuss these issues in more details.

CBC/Radio-Canada is a large and complex creative organization that can sometimes be frustrating, but always exciting. I am proud of having led this unique and critical institution and I am sure you will feel the same.

There is one issue that is very dear to me, which I wish to bring to your attention. That is the arm's length relationship with government, which is enshrined in the Broadcasting Act. It is critical to this country that the Corporation retains its edi-

---

1. Cette lettre a été obtenue grâce à la Loi sur l'accès à l'information. La traduction française suit.

torial and journalistic independence from external forces in order to remain a true public broadcaster, and not a state broadcaster. This is the reason that the appointment of the President & CEO is not at pleasure and that the Corporation reports to Parliament through the Minister of Heritage. At times some try to shorten this relationship and we must defend it. It is not always easy, but it must be done if the public broadcaster is to survive.

Hubert, I can assure you of my support until you take office and afterwards. I will remain a strong supporter of the Corporation and its role in our lives as Canadians.

Should you wish additional information prior to your briefings, please do not hesitate to contact me or Francine.

Yours sincerely,
Robert Rabinovitch
President and CEO

Cher Hubert,

Il me fait plaisir de vous présenter le dossier de synthèse préparé pour le nouveau PDG. J'espère que l'information sera utile. Des informations plus complètes vous seront fournies par chacun des vice-présidents lors de rencontres individuelles. Ils sont tous fin prêts à démarrer, dès que vous le serez aussi. Bien évidemment, je suis aussi disponible à votre convenance pour discuter ces enjeux plus en détail.

CBC/Radio-Canada est une grande organisation, complexe et créative. Il lui arrive d'être frustrante, mais elle est toujours stimulante. Je suis fier d'avoir dirigé cette institution unique, d'une importance critique, et je suis sûr que vous ressentirez la même fierté.

Il y a une question en particulier qui m'est très chère et sur laquelle j'aimerais attirer votre attention. Il s'agit de cette relation de saine distance avec le gouvernement, qui est partie intégrante de la Loi sur la radiodiffusion. Il est essentiel pour ce pays que la Société préserve son indépendance éditoriale et journalistique contre toutes les pressions extérieures. C'est ainsi seulement que Radio-Canada pourra demeurer un véritable diffuseur public et non un diffuseur d'État. C'est pour cette raison que la nomination du PDG ne relève pas seulement du bon vouloir du gouvernement et que la Société rend compte de ses activités au Parlement par l'intermédiaire du ministre du Patrimoine. Il y a des moments où certains tentent de raccourcir cette saine distance entre la Société et le gouvernement, mais il faut résister. Ce n'est pas toujours facile, mais cela doit être fait si on veut que le diffuseur public puisse survivre.

Hubert, soyez assuré de mon appui jusqu'à ce que vous entriez en fonction ainsi qu'après. Je vais demeurer un grand défenseur de la Société et du rôle qu'elle joue dans nos vies en tant que Canadiens.

Si vous désirez plus d'information avant les séances de breffages prévues, n'hésitez pas à nous contacter, moi ou Francine.

Sincères salutations,
Robert Rabinovitch, PDG

Table des matières

CRÉDITS ET REMERCIEMENTS

Les Éditions du Boréal reconnaissent l'aide financière du gouvernement
du Canada par l'entremise du Fonds du livre du Canada (FLC)
pour leurs activités d'édition et remercient le Conseil des arts du Canada
pour son soutien financier.

Les Éditions du Boréal sont inscrites au programme d'aide aux entreprises
du livre et de l'édition spécialisée de la SODEC et bénéficient du programme
de crédit d'impôt pour l'édition de livres du gouvernement du Québec.

Photographie de la couverture : Stéphane Batigne, Tour de Radio-Canada.

Ce livre a été imprimé sur du papier 100 % postconsommation,
traité sans chlore, certifié ÉcoLogo
et fabriqué dans une usine fonctionnant au biogaz.

MISE EN PAGES ET TYPOGRAPHIE :
LES ÉDITIONS DU BORÉAL

ACHEVÉ D'IMPRIMER EN OCTOBRE 2014
SUR LES PRESSES DE L'IMPRIMERIE GAUVIN
À GATINEAU (QUÉBEC).